L'UN OU L'AUTRE

DU MÊME AUTEUR

Littérature

Un pour deux (*La Trilogie Twain*, t. I), Calmann-Lévy, 2008.
Histoires en l'air, fictions, récits, projets, P.O.L, 2008.
Le Numéro 7, roman, « NéO », Le cherche midi, 2007.
À ma bouche, « Exquis d'écrivains », Nil, 2007.
Le mensonge est ici, nouvelles, Librio, 2006.
Camisoles, roman, Fleuve Noir, 2006.
J'ai mal là, chroniques d'Arteradio.com, Arte/Les Petits Matins, 2006.
Noirs scalpels, nouvelles (ouvrage collectif) « NéO », Le cherche midi, 2005.
Les Trois Médecins, 2004 ; Folio, 2005.
Plumes d'Ange, 2003 ; Folio, 2004.
Mort in Vitro, Fleuve Noir, 2003 ; Pocket, 2004.
Touche pas à mes deux seins, « Le Poulpe », Baleine, 2001. Librio, 2002.
Légendes, 2002 ; Folio, 2003.
Le Corps en suspens (sur des photographies d'Henri Zerdoun), Zulma, 2002.
Le Mystère Marcœur, L'Amourier 2001.
La Maladie de Sachs (Livre Inter), 1998 ; J'ai Lu 1999 ; Folio 2005.
L'Affaire Grimaudi (en coll. avec Claude Pujade-Renaud, Alain Absire, Jean Claude Bologne, Michel Host, Dominique Noguez, Daniel Zimmermann), Le Rocher, 1995.
La Vacation, 1989, J'ai Lu 1999.

Essais sur les arts populaires

L'Année des Séries 2008 (ouvrage collectif), Hors Collection, 2008.
Le Meilleur des Séries (ouvrage collectif), Hors Collection, 2007.
Série télé, de Zorro à Friends, 60 ans de téléfictions américaines, Librio, 2005.
Les Miroirs obscurs, grandes séries américaines d'aujourd'hui (ouvrage collectif), Le Diable Vauvert, 2005.
Le Rire de Zorro, Bayard, 2004.
Odyssée, une aventure radiophonique, Le cherche midi, 2003.
Super Héros, EPA, 2003.
Les Miroirs de la vie, histoire des séries américaines, Le Passage, 2002.
Guide Totem des Séries (en coll. avec Christophe Petit), Larousse, 1999.
Les Nouvelles Séries 1996-1997 (en coll. avec Alain Carrazé), Les Belles Lettres/Huitième Art, 1997.
Mission : Impossible (en coll. avec Alain Carrazé), Huitième Art, 1993.

Martin Winckler

La Trilogie Twain, t. II

L'UN OU L'AUTRE

Roman

calmann-lévy

© Calmann-Lévy, 2009

ISBN 978-2-7021-3977-6

Avertissement

L'Un ou l'Autre est le deuxième volet de *La Trilogie Twain*, inaugurée par *Un pour deux* (2008) et qui se conclura avec *Deux pour tous*. Cette suite romanesque est une fiction. Elle ne se prive pas, pour autant, de s'inspirer de la réalité. Les ressemblances – de près ou de loin – avec des personnes existant ou ayant existé ne sont donc pas toutes le fruit du hasard. Aucune personne physique ou morale ne saurait cependant se reconnaître dans l'un ou l'autre personnage de cette suite romanesque, car les « bons » et les « méchants » décrits ici n'existent que dans les œuvres d'imagination, hélas !

martinwinckler@gmail.com

« Dans les épisodes précédents... »

Le mois dernier, vos meilleurs amis, Dharma et Greg, tous deux fondus de séries télévisées, ont insisté pour que vous regardiez *Un pour deux*, la première saison – « épatante, géniale, formidable » – d'une téléfiction en trois époques. Comme vous n'aviez pas le temps, ils vous ont prêté les onze premiers épisodes, rassemblés dans une magnifique édition DVD que vous aviez d'ailleurs vue annoncée dans les magazines et sur les panneaux des Abribus par de splendides affiches montrant deux profils noir et blanc découpés en ombre chinoise... Cependant, lorsque vous retournez dîner chez vos amis, un beau soir de printemps, vous n'avez pas encore eu le temps de les regarder.

À peine avez-vous franchi le seuil que Dharma vous avertit :

— *On dîne devant la télé. L'Un ou l'Autre, la suite de Un pour deux, commence ce soir. Ils passent tous les épisodes cette nuit. Tu vas regarder ça avec nous.*

Ce n'est pas une question, mais une affirmation. Connaissant la personnalité de Dharma, vous protestez sans conviction.

— *Bon, mais j'ai pas vu la première saison...*

— *Ça n'a aucune importance*, dit Greg, *il y aura un résumé au début. Et si tu as du mal à suivre, on t'expliquera.*

Greg vous pousse sur le canapé, Dharma vous colle un plateau-télé sur les genoux et tous deux vous intiment l'ordre de ne plus bouger. Sur leur superbe écran plasma, les profils

9

noir et blanc entrelacés d'un homme et d'une femme se séparent comme deux rideaux de théâtre ; une voix indéfinissable se fait entendre.

« La saison dernière, dans *Un pour deux...* »

... 2010 à Tourmens, métropole florissante du Centre-Ouest. Après une irrésistible ascension, le maire de la ville, Francis Esterhazy, petit homme à la grande ambition ainsi que patron d'une grande entreprise d'ascenseurs et d'escaliers mécaniques, épouse l'ancien mannequin vedette Clara Massima...

... Plusieurs top models de renom abandonnent leur carrière en plein essor et disparaissent de la vie publique...

... Clara Esterhazy fait appel à l'agence de protection spécialisée Twain Peeks, dirigée par un frère et une sœur jumeaux, René et Renée Twain...

— Ils ont le même prénom ? C'est bizarre, non ?

— Ah, mais il y a de très bonnes raisons à ça. Tu vas voir...

... Au cours d'une soirée à la préfecture où Clara l'a invitée, Renée Twain disparaît ; peu après, Éléonore Dragossa, redoutable chroniqueuse mondaine du *Tourmentais Libéré*, est assassinée. Par qui, et pourquoi ?...

... Le maire Esterhazy confie au capitaine de police Liliane Roche et à son adjoint Pierre Goldman la protection d'une amie intime de son épouse, Sandra Lombardini, elle aussi mannequin et témoin dans un procès impliquant WOPharma, grande multinationale du médicament...

... Aidé par le docteur Marc Valène, médecin légiste, René enquête sur la disparition de sa sœur...

... Installées dans une chambre d'hôtel, Sandra Lombardini et Véronique Storch, *detective* affectée à sa sécurité, sont grièvement blessées par un mystérieux agresseur...

... Soupçonné par la police d'avoir trempé dans l'agression de Sandra Lombardini, René est interrogé par le capitaine Roche...

... Hospitalisée au CHU Nord, Sandra Lombardini succombe à ses blessures. L'autopsie révèle que la morte n'est pas le top model, mais une jeune femme qui lui a servi de doublure. Qui a opéré cette substitution, et dans quel but ?...

... Afin de piéger l'assassin, Liliane Roche demande au professeur Lance, chef des urgences et de la réanimation, de faire courir le bruit que « Sandra » a repris connaissance et s'apprête à révéler l'identité de son agresseur...

... René et Marc découvrent parmi les courriels de Renée un fichier informatique brûlant qui les conduit à la clinique privée Saint-Ange. Là, ils mettent la main sur des documents prouvant que le docteur Gérard Mangel, chirurgien de renom, opère au centre d'une sombre machination médicale dont les top models disparues, la « doublure » de Sandra, Éléonore Dragossa et Renée Twain ont été les victimes...

... Mais lorsqu'ils veulent apporter les preuves à la police, Marc et René sont interceptés par des hommes de Mangel...

... Tandis que dans les couloirs du CHU Nord, un duel sans merci oppose Pierre Goldman au mystérieux tueur...

— *C'est qui, Goldman ?*
— *L'adjoint de Roche.*
— *Ah, okay...*

... Sur le parvis de l'hôpital, au même moment, Renée Twain réapparaît ; elle sauve son frère et Marc Valène d'une mort certaine...

... Après avoir avoué sa participation aux agissements du docteur Mangel, Clara Esterhazy se suicide...

... Grâce aux centaines de caméras vidéo qui lui permettent d'observer la ville, le maire Esterhazy assiste en direct à la réapparition de Renée au beau milieu du parvis de l'hôpital Nord et apprend ainsi le stupéfiant secret qui la lie à son frère...

... Un sourire machiavélique aux lèvres, le maire Esterhazy se retourne vers la jeune femme debout près de lui... « Cette ville est à moi, Sandra... »

— *Tu arrives à suivre ?* demande Greg.
— *Euh... à peu près... Mais on va pas rater la suite, là ?*
— *T'inquiète pas, c'est un magnétoscope numérique, il continue à enregistrer pendant qu'on met en pause. Regarde...*
Il braque la télécommande vers le téléviseur.

— *Attends, attends !* s'écrie Dharma. *Il n'y a pas tout dans ce résumé. Il ne sait pas que René et Renée...*

— *Non, mais il ne faut pas le lui dire, ce serait criminel. Il va bien finir par comprendre en regardant.*

Interloqué, vous vous accrochez à votre plateau-repas.

— *Comprendre quoi ?*

— *Ce que René et Renée ont de...* spécial, minaude Dharma, les yeux brillant du désir d'en dire plus.

— *Ils ont quelque chose de spécial ?*

— *Oui, et il y a bien d'autres choses, bien plus importantes, que ce résumé ne dit pas...*

— *Et d'abord, que c'est pas seulement une série policière, mais aussi une comédie romantique,* ajoute Dharma...

— *Ouais, c'est pour ça que ça plaît autant aux nanas qu'aux mecs,* ironise Greg.

— *Donc,* poursuit Dharma, *Pierre et Véronique...*

— *C'est qui, Véronique ?*

— *Véronique Storch, la femme-flic qui a été blessée pendant l'agression de la fausse Sandra dans l'hôtel...*

— *Ah, je vois...*

Vous ne voyez pas du tout, mais vous la laissez poliment poursuivre.

— *... Elle sort avec Goldman. Marc Valène, le légiste, sort avec Renée depuis bien avant le début de l'histoire et, à la fin de la saison, on comprend que Liliane Roche, la commissaire de police, couche avec son frère...*

— *Avec qui ?*

— *Avec René. Le frère de Renée, quoi ! Et comme tu l'imagines, tous ces chassés-croisés amoureux leur compliquent beaucoup la vie...*

— *Ouais, surtout à Marc et à Liliane,* dit Greg, sarcastique.

— *... Mais c'est ça qui rend les choses intéressantes...,* ajoute Dharma avec malice.

— *C'est vraiment bizarre de leur avoir donné le même prénom !* dites-vous en essayant désespérément de mémoriser tout ce qui vient d'être dit. *Bon, enfin, comme vos jumeaux sont un homme et une femme, on peut pas les confondre...*

— *Ah ça,* murmure Greg, avec un sourire mystérieux, *j'en jurerais pas...*

— *Tais-toi !* l'interrompt Dharma. *Tu vas tout lui gâcher !*

— Bon, là, je ne vous suis plus du tout...

— C'est pas grave. Tu vas comprendre au fur et à mesure. J'ai lu une interview des producteurs, ils ont tout fait pour que les spectateurs qui prennent la série en route ne soient pas perdus...

— Ouais, surtout les journalistes de télé, qui ont en général beaucoup de mal avec tout ce qui dure plus de vingt minutes, s'esclaffe Greg avec un rire homérique en braquant de nouveau la télécommande en direction de l'écran.

— Attends, attends ! Expliquez-moi quand même qui...

— Chhhh ! Regarde et écoute !...

201

L'ARRIVÉE

L'hélicoptère se déplace à grande vitesse. Le passager installé dans l'habitacle voit l'ombre de l'appareil défiler sur le sol ; son regard se balance au gré des méandres du fleuve. C'est la fin de l'été. L'été le plus chaud depuis vingt-cinq ans. La Tourmente est à sec, ou presque. Un filet d'eau s'écoule péniblement au milieu de son lit. Sur les berges, la végétation se recroqueville sous l'effet de la chaleur. Sous le couvert des arbres grillés, on aperçoit parfois des tentes, des abris de fortune, parfois même des caravanes. Les migrants, nombreux dans la région, indésirables en ville et frappés en tout premier par les restrictions, sont venus se réfugier au bord du filet d'eau.

Peu à peu, les berges du fleuve s'urbanisent. Les routes s'élargissent, les ponts et les voitures deviennent plus nombreux. Brusquement, au sortir d'un méandre, derrière une végétation plus dense, l'étendue d'eau s'élargit dans le lit du fleuve.

— Nous approchons de Tourmens, murmure le pilote. Atterrissage dans sept minutes environ.

Le passager, qui l'a entendu grâce aux écouteurs placés sur ses oreilles, hoche la tête sans un mot. À quelques kilomètres devant lui, à travers la brume de chaleur et de pollution, il voit se dresser les immeubles modernes de la métropole du Centre-Ouest. Alors que le pilote est trempé de sueur, le passager vêtu d'un complet veston ne semble pas souffrir de la chaleur. D'un geste négligent, il ajuste son nœud de cravate.

Pendant que l'hélicoptère remonte le cours du fleuve, le passager examine les berges. À gauche, la rive droite et sa forêt domaniale, ses terrains de golf, ses gentilhommières restaurées, ses parcs paysagers. À droite, la rive gauche et ses cabanons de week-end, ses jardins potagers, ses zones pavillonnaires, ses hangars et ses usines.

— Tango Bravo 12 à contrôle, permission de survoler le double pont, demande le pilote.

— *Permission accordée Tango Bravo 12*, répond une voix nasillarde.

— Il faut une autorisation pour survoler le double pont ? demande le passager.

— L'électricité, l'eau, le gaz, le téléphone, la fibre optique... Tout ce qui alimente le centre-ville passe dans le tablier, répond le pilote.

— Je vois... Si votre hélico tombait dessus...

— Ça foutrait la merde. Mais dans les années 70 on construisait utile, on ne pensait pas au terrorisme.

Un sourire machiavélique apparaît sur le visage du passager, mais le pilote ne le voit pas.

Le pilote fait virer doucement son hélico vers la droite, survole la bretelle de l'autoroute, puis le double pont routier qui franchit la Tourmente, et se dirige vers le nord de la ville. Là-bas, à quelques kilomètres, les hautes cheminées de la zone industrielle crachent leur fumée. À mi-chemin entre le fleuve et les usines se découpe un gigantesque périmètre dégagé ; de grandes marques au sol indiquent l'emplacement de bâtiments disparus.

— Tout ça était urbanisé, auparavant ?

— Des milliers de familles ont été expropriées et leurs maisons rasées... Tout ça pour le grand projet du maire. C'est le machin construit au milieu.

Le machin en question est un bâtiment rond flambant neuf, tout de verre et d'acier, autour duquel sont garés plusieurs dizaines de véhicules. Des centaines de personnes s'y activent en préparation de la grande inauguration prévue quelques jours plus tard.

— Je sais plus comment ils ont appelé ce machin, dit le pilote à son passager. Le centre culturel Dubalbec... Toudanlbec... enfin, un nom à coucher dehors.

— Houellebecq...

— C'est ça. Vous savez qui c'est, ce type ?

— Un écrivain.

— Connais pas. C'est un pote d'Esterhazy ?

— Je ne crois pas. Plutôt son idole, si j'ai bien compris.

— Son idole ? Je croyais que c'était Céline Dion...

Le passager sourit.

— Non, c'est... *c'était* l'idole de madame... J'ai lu quelque part qu'elle l'avait invitée à chanter au gala d'inauguration du centre. Malheureusement, elle ne l'entendra pas...

— Ouais. Il n'est même pas sûr qu'elle ait l'occasion d'y chanter, la gentille Céline...

— Qu'est-ce qui vous fait dire ça ?

— D'abord, pour construire tout ce qu'ils ont prévu – le stade, l'hippodrome, le complexe aquatique –, il faudrait qu'ils rasent l'hôpital nord, et c'est pas demain la veille. Y a une poignée de médecins irréductibles qui ne veulent pas déménager, ils disent que la population de la zone nord a besoin d'eux. C'est le vieux professeur Lance qui a lancé le mouvement. Pour leur pourrir la vie, le maire a fait construire sa médiathèque juste à côté. Il a dû se dire que le bruit, les vibrations, la poussière, ça ferait fuir les malades... Et il a imposé qu'on puisse poser les hélicos privés sur l'aire du SAMU... Un vrai fouteur de merde... Allô, contrôle ? Tango Bravo 12 demande permission d'atterrir...

— Je vois, murmure le passager pendant que l'hélicoptère s'approche de l'aire d'atterrissage située au sommet d'un des bâtiments de l'hôpital.

— Bon, une fois qu'on sera posé, j'espère que vous resterez pas bloqué sur le toit...

— Que voulez-vous dire ? répond l'homme en complet veston.

— Les ascenseurs sont chroniquement en panne, au CH nord. La société qui les entretenait se trouve à Brennes, et elle est en faillite. Y a plus d'entretien depuis six mois. Et l'ASESE, la société d'ascenseurs qui appartient au maire, est évidemment surchargée de travail...

— *Autorisation d'atterrir accordée, Tango Bravo 12.*

Sans voir le large sourire qui s'ouvre sur le visage de son passager, le pilote amorce sa manœuvre.

LE MONDE EN MARCHE (1)

Radio Tourmens 111.1, flash spécial :
La clientèle de l'*Hôtel Continental*
victime de plusieurs vols inexpliqués

Trois semaines après le dépôt d'une plainte pour vol par l'un de ses clients, la direction du grand hôtel *Continental* vient de révéler que plusieurs de ses suites de luxe ont été cambriolées au cours de ces dernières semaines. La somme dérobée atteindrait plusieurs millions d'euros. Rappel des faits : la semaine dernière, M. Vladimir Shamsky, directeur d'une importante société de travail temporaire – électricité, plomberie, électro-mécanique – basée en Pologne, portait plainte pour des vols sans effraction commis dans les appartements qu'il occupe en permanence depuis plusieurs mois au *Continental*. La suite de M. Shamsky aurait été visitée à plusieurs reprises ; des bijoux et des objets de valeur y auraient été dérobés. La direction du *Continental* aurait d'abord poliment mis en question la véracité de ces allégations car aucun des systèmes de sécurité sophistiqués de l'hôtel – qui dispose de caméras de surveillance dans tous les couloirs et pratique l'enregistrement électronique des ouvertures de portes et des déplacements d'ascenseurs – n'aurait mis en évidence de circulation suspecte à l'étage où réside le riche client. Devant l'impossibilité de s'accorder avec la direction de l'hôtel, M. Shamsky a décidé de porter plainte. Une enquête préliminaire confiée aux services de la police municipale a depuis révélé que plusieurs clients avaient déjà

21

signalé la disparition d'objets divers, chaussures ou vêtements, ou simplement celle du contenu des réfrigérateurs réservés à la clientèle. Les vols qui ont conduit Vladimir Shamsky à porter plainte concerneraient, pour la première fois, des objets de valeur. On murmure même que parmi les objets dérobés figureraient plusieurs mallettes contenant d'importantes sommes en espèces, mais ni la direction du *Continental*, ni l'avocat de M. Shamsky n'ont confirmé cette information. Ce qui trouble le plus les enquêteurs, semble-t-il, c'est l'absence totale d'indices prouvant les vols car, une fois encore, les systèmes de sécurité de l'hôtel ne montrent aucune entrée suspecte dans les suites incriminées. En outre, tous les salariés du *Continental* doivent se changer au début et à la fin de leur service ; leurs allées et venues sont très soigneusement filtrées, pour des raisons de sécurité bien compréhensibles, eu égard à la clientèle et aux exigences de qualité de l'établissement. À l'heure où nous écrivons, la police n'a encore procédé à aucune interpellation et semble n'avoir aucune piste.

Sollicité par l'homme d'affaires, le député-maire de Tourmens Francis Esterhazy a assuré à Vladimir Shamsky, ainsi qu'à la direction de l'*Hôtel Continental*, que toute la lumière serait faite sur ces vols. L'enquête a été confiée à une section spéciale de la police municipale.

Et nous apprenons à l'instant qu'un nouvel incendie s'est déclaré dans la forêt domaniale de Tourmens, en bordure du fleuve, à une quinzaine de kilomètres du centre-ville. La sécheresse est sûrement à l'origine du sinistre, le sixième depuis le début de l'été. Trois casernes de pompiers ont été dépêchées sur les lieux. D'après les premières conclusions, l'incendie aurait pu être provoqué par les populations de migrants installées illégalement dans ce secteur...

AFP, dépêche :
Des chercheurs français enseignent
à des cellules à se recycler

Dans la lignée des travaux sur les cellules embryonnaires effectués depuis plusieurs années, des chercheurs du laboratoire WOCell, basé à Tourmens, viennent de montrer qu'il est possible de faire régresser des cellules spécialisées à un stade antérieur de leur développement et de les faire évoluer vers une autre spécialisation. Habituellement, les cellules d'un embryon, toutes identiques au début de la vie, se différencient pour assurer les diverses fonctions indispensables au développement : certaines deviendront des cellules du foie, d'autres des cellules du cerveau, d'autres des cellules osseuses, etc. En principe, cette transformation est définitive : les cellules adultes ne reviennent pas à leur forme initiale. Toutefois, l'ADN présent dans chaque cellule contient l'intégralité des informations génétiques d'un individu. Des chercheurs du laboratoire WOCell, division de la multinationale de santé WOPharma basée à Tourmens, ont cependant découvert qu'il est théoriquement possible, en stimulant l'ADN des cellules souches au moyen de substances spécifiques, de déclencher cette « respécialisation » au moment opportun. Ainsi, lors de l'apparition de cellules cancéreuses dans un organe, les cellules voisines pourraient se transformer en lymphocytes (cellules de défense), détruire immédiatement les cellules malades, et remplir ainsi le rôle des lymphocytes circulant dans le sang, eux-mêmes incapables d'accéder aux tissus profonds lorsque ceux-ci se cancérisent. Si cette découverte était confirmée elle pourrait, on le comprend, révolutionner le traitement des cancers, et de toutes les autres maladies produites par la présence de cellules anormales dans un tissu sain...

Rappel – *Le Tourmentais Libéré*, automne 2008 :
Les grands travaux du maire Esterhazy

Depuis son élection, le député-maire de Tourmens a mis en chantier plusieurs projets destinés à faire de « sa » ville l'une des principales métropoles culturelles et économiques d'Europe. Outre le tramway qui traverse désormais la ville et relie le complexe sportif des Olympiades, au nord, au CHU, au sud, le maire Esterhazy a fait voter par son conseil municipal un certain nombre de « grands travaux », sources de vives critiques de la part de l'opposition et des lobbies associatifs. L'un des projets les plus controversés vise à créer sur la rive nord de la ville, où vivent les populations les plus modestes et les plus marginalisées, un gigantesque Centre culturel multimédiatique Michel-Houellebecq destiné, selon son initiateur, à « inciter les plus grands orchestres, les plus grandes troupes de danse et de théâtre, les plus grands cinéastes et les chaînes de télévision à venir s'y produire et y produire ». [...] Ce projet contre lequel l'ensemble de l'opposition – minoritaire – s'est insurgée en le qualifiant de « pharaonique » se heurte, pour l'heure, à un obstacle de taille. Le seul emplacement suffisamment grand pour l'accueillir est en effet occupé par l'« Hospice », le vieil hôpital nord, qui assure l'essentiel des soins de premier recours pour la population des quartiers défavorisés de la rive gauche. Le maire de Tourmens est, statutairement, président du conseil d'administration du complexe hospitalier municipal, qui regroupe le CHU Sud, l'hôpital nord, les centres de protection maternelle et infantile et les autres dispensaires publics de l'agglomération. Or, il y a deux ans, le conseil d'administration a décidé de créer sur la rive sud, au sein du CHU, un grand « pôle mère-enfant » regroupant toutes les activités concernées. La maternité nord devrait, en toute bonne logique, y être relocalisée. Pour diminuer les coûts de fonctionnement et lutter contre le manque chronique de personnel, plusieurs autres services de l'hôpital annexe devraient fermer ou déménager au CHU avec leurs soignants. À terme, l'Hospice ne devrait plus abriter que les services de long séjour. La grande majorité de ses bâtiments, trop vétustes pour être réhabilités, devraient être rasés pour laisser place aux annexes du CCMMH sur une grande partie de l'esplanade actuellement occupée par la gare routière. Ce projet soulève les protestations vigoureuses des associations de quartier représentées par le Comité d'action rive nord. Pour Jacques Furetelle, porte-parole du CARN, « la politique du maire vise ni plus ni moins à priver la population la plus défavorisée de sa dernière raison de rester dans les HLM : un lieu de soin facile d'accès, où des soignants dévoués ne refusent jamais de les accueillir ». Les conditions de vie dans les six hautes tours HLM de cette partie de la ville sont difficiles, en raison de la vétusté des ascenseurs. [...] De sorte que les habitants s'en éloignent de plus en plus ; actuellement, nombre d'appartements ne sont plus loués mais squattés par des sans-papiers. Au cours de sa campagne municipale, le maire avait promis de

« nettoyer au jet » les quartiers les plus « malpropres » de la ville. Si l'hôpital nord disparaît, les travaux d'implantation du CCMMH transformeront radicalement la rive gauche de Tourmens et contraindront une grande partie de sa population à émigrer vers les communes-dortoirs de la périphérie. [...] Le CCMMH et sa tour TotalMédia intéressent plusieurs filiales de WOPharma, la multinationale du médicament implantée à Tourmens : WODeLuxe, très liée au monde du prêt-à-porter, des cosmétiques et du spectacle, et surtout WOPresse, qui finance 40 % de la presse médicale française...

« Entre Nous », le blog de Francis Esterhazy :
http ://www.Tourmens-ma-ville.org/blogs/fester.html
Lundi 29 août 2011

La rentrée s'annonce riche en surprises et en innovations. Samedi, nous inaugurons les locaux flambant neufs du Centre culturel multimédiatique Michel-Houellebecq. C'est ma chère Clara, tragiquement disparue, qui m'avait suggéré de donner à ce projet magnifique le nom du plus grand écrivain français de la toute fin du XXᵉ siècle, tragiquement disparu à la fleur de l'âge. Le CCMMH sera certainement le plus beau complexe culturel de France, puisqu'il accueillera la plus grande médiathèque de notre pays, plusieurs amphithéâtres et salles de spectacle, des studios de radio et de télévision, des plateaux de tournage ainsi qu'une École européenne de journalisme scientifique que je voulais créer depuis longtemps parrainée par une grande société, WOMédias. J'ai pour ma part l'intention de créer, en souvenir de Clara, une école de mannequins et d'en faire le premier centre de formation de top models de France puis – pourquoi pas ? – d'Europe.

Les travaux ne sont pas entièrement terminés, à cause des négociations en cours à l'hôpital nord. Malgré mes efforts pour convaincre le personnel d'aller s'installer dans les nouveaux locaux qui leur ont été réservés au CHU Sud, les syndicats rejettent toutes les propositions, sans réaliser que finalement, ce sont les patients qui vont souffrir de leurs revendications inconsidérées. En tant que maire de Tourmens, ma responsabilité, c'est malgré tout de poursuivre le dialogue.

Tout ceci ne m'empêchera pas, cependant, d'inaugurer demain le bâtiment le plus imposant du CCMMH, la Tour TotalMédia ; son immense salle de spectacle est entourée de plusieurs studios de télévision, de radio et d'enregistrement musical ultramodernes. Attirés par les propositions très attractives de notre municipalité, plusieurs diffuseurs français importants ont décidé de quitter la capitale pour venir installer leur siège social dans la Tour TotalMédia et profiter de ses installations ultramodernes.

À la fin de cette semaine, je présiderai également un grand gala d'inauguration dans la grande salle de spectacle du CCMMH...

Le Tourmentais Libéré, août 2011 :
CHU Nord – Conflit de rentrée pour le maire de Tourmens

Semaine chargée pour le maire Esterhazy, qui juste avant sa première session parlementaire de nouveau député doit faire face à une grève du zèle au CHU Nord. Le personnel tout entier a signé une pétition demandant la révision et la remise en marche immédiate des ascenseurs en panne depuis plusieurs mois. Au cours des dernières semaines, les pannes se sont multipliées, compromettant sérieusement les soins et le programme des interventions des services de l'hôpital. Le personnel dans son ensemble a donc décidé une grève du zèle consistant à cesser toute activité administrative. Les urgences, les soins, les interventions chirurgicales restent assurés, mais aucune activité n'est enregistrée – ni, par conséquent, rémunérée par les assurances sociales –, ce qui bien évidemment pose un gros problème aux gestionnaires du CHU et à son conseil d'administration dont, rappelons-le, le maire est statutairement le président. Toujours en première ligne quand il s'agit de conflits sociaux, Francis Esterhazy a répondu à la proposition des syndicats de venir s'asseoir personnellement à la table des négociations. La première rencontre devrait avoir lieu mercredi, juste après l'inauguration de la Tour TotalMédia qui domine le Centre culturel multimédiatique mis en chantier par le maire au lendemain de son élection...

Au CCMMH, de la mi-août jusqu'à la première semaine de septembre 2011, décorateurs, menuisiers, plombiers, techniciens du son et de l'image, peintres et électriciens travailleront sans interruption, jour et nuit, afin que tout soit fin prêt le soir de l'inauguration. Non sans y laisser quelques plumes.

Ainsi, au premier sous-sol, entre les loges des artistes et la zone qui doit servir à entreposer les décors et machineries de la salle de théâtre, dans un local d'usage quelque peu indéterminé, un électricien originaire d'un pays de l'Est finira l'installation d'une armoire électrique. Au moment où il voudra donner son dernier tour de vis, sa main glissera et la lame du tournevis lui blessera le doigt, qui se mettra à saigner abondamment. L'électricien ne signalera pas l'incident car, ayant été embauché au noir, il n'est bien sûr pas couvert par les assurances sociales.

LA RÉSISTIBLE ASCENSION
DE FRANCIS ESTERHAZY

L'architecte, le promoteur, le maître d'œuvre, le chef de chantier et une vingtaine d'ouvriers se tiennent bien droit sur l'esplanade, au garde-à-vous ou presque, lorsque le convoi de la mairie se range devant la Tour TotalMédia du centre Michel-Houellebecq.

Avant même que les hussards de sa garde rapprochée aient pu sortir de leur propre véhicule pour se mettre en position, la portière de la limousine s'ouvre ; le député-maire de Tourmens jaillit pour distribuer sourires, sursignes de tête, paroles de camaraderie et poignées de main pendant que dans son sillage, plusieurs gorilles costumés à lunettes noires et oreillette courent, la main dans le veston, en scrutant le terrain tout autour d'eux.

— Finalement, ça a du bon d'être tout petit, murmure un ouvrier en voyant le cortège passer au pas de charge.

— Pourquoi ?

— Ben, regarde, quand ses hussards l'entourent, on ne le voit plus. Il faudrait un bazooka pour le descendre...

À ces mots, dans une camionnette banalisée garée non loin de là, Louis Colbert, agent de la sécurité municipale chargé des écoutes, soupire tristement. Louis n'aime pas ce boulot. Il déteste surveiller ses concitoyens. Surtout pour le maire, dont la paranoïa sécuritaire dépasse tout ce qu'on peut lire dans les journaux. Et le maire Esterhazy, qui insiste pour que sa ville soit toujours à la pointe de la technologie, ne rate jamais l'occasion d'installer un micro directionnel pour écouter les citoyens qui se tiennent sur son passage. Malheureusement, Louis Colbert est lui-même supervisé de près par le service de surveillance personnel du maire. Et ces gens-là ne rigolent pas. La semaine dernière, encore, Anastacia Volkanova, l'assistante personnelle de Francis Esterhazy, est venue déposer sur son bureau une enveloppe cachetée contenant plusieurs photographies grand format montrant le brave Louis Colbert en torride compagnie d'une femme qui n'est pas son épouse légitime. Il n'y avait pas de message dans l'enveloppe, mais Louis n'a pas eu besoin d'explication. La seule vue de Mlle Volkanova, d'ailleurs, a suffi à lui glacer le sang. Elle est grande et impassible ; avec ses lèvres pincées et ses cheveux blonds serrés dans un chignon, elle semble constamment sur le point de sortir un couteau pour vous le planter dans le dos ou vous découper les parties intimes. Le plus angoissant est qu'elle ressemble terriblement à Sandra Lombardini. Avec deux fois plus de poitrine.

Intimidation et chantage ne sont pas seulement monnaie courante à la mairie, ils constituent le solide ciment qui assure la cohésion des employés municipaux. C'est donc la mort dans l'âme, sans zèle excessif mais néanmoins sans hésitation, que Louis isole sur l'un de ses écrans de surveillance le visage de l'homme dont il vient de recueillir les paroles ironiques, l'associe au fichier son de la conversation compromettante et enregistre le tout dans le dossier « Individus suspects ». Encore un qui va se retrouver au chômage et avec un procès en diffamation aux fesses, par-dessus le marché...

Pour un petit homme dévoré par l'ambition de dominer ceux qui sont plus grands que lui, le plus simple consiste à courir plus vite qu'eux. C'est donc au pas de course, comme à son habitude, que Francis Esterhazy serre les mains de quelques ouvriers et se dirige vers le magnifique ascenseur extérieur vitré de la Tour TotalMédia. Trois de ses hussards y pénètrent, en inspectent chaque recoin à la loupe, font un clin d'œil à la caméra placée dans le coin supérieur puis invitent le maire et ses hôtes à y entrer à leur tour.

— Alors, ça avance ? demande le maire au chef de chantier tandis que la cabine s'élève vers la terrasse du quinzième étage où les attendent les petits-fours. Vos gars sont solides ? Ils me font ça bien ? Vous allez être dans les temps ?

— Dis donc, il a l'air gratiné, le maire de Tourmens...

— Ouais, et t'as encore rien vu.

— Taisez-vous, les mecs, j'entends rien ! Si vous voulez parler, au moins ne le faites pas pendant les dialogues !

— À vrai dire..., commence le chef de chantier.

— C'est bien ! Je sais que je peux compter sur vous, votre patron m'a dit que vous étiez le meilleur, poursuit le petit homme sans laisser son interlocuteur répondre. Puis, se tournant vers l'architecte : Très beau, vot' bâtiment. Sur le papier, j'ai presque rien eu à retoucher, je vous félicite. Vous avez déjà dessiné des villas en bord de mer ?

— Je n'ai pas l'hab...

— Ça tombe bien, parce que je viens d'acquérir un terrain au cap Nègre et j'aimerais beaucoup que vous me dessiniez le petit cabanon que je vais poser dessus. Il y a une très belle vue sur la mer, j'ai pas envie de rater ça, vous me comprenez ?

Avant que l'architecte ait eu le temps de respirer, le maire apostrophe son « hussard » en chef, Gérard Dupont, montagne de muscles mesurant près de deux mètres.

— T'as fait le nécessaire pour la réunion avec les syndicats, Gérard ?

— Oui, m'sieur Francis.

— T'as passé la salle aux détecteurs ? Personne ne va nous écouter ou nous prendre en photo pendant la réunion ? J'aurai pas de surprise demain dans les journaux ?

— Non, m'sieur Francis. Vous faites pas de bile. On a tout vérifié trois fois.

« Ben voyons !, sursaute Louis Colbert dans sa camionnette. Tu veux dire que *j'ai* tout vérifié trois fois. Toi, tu sais pas faire la différence entre une microcaméra et une brosse à dents. »

— C'est bien, mon grand, dit le maire en levant la main pour tapoter paternellement l'épaule de son garde du corps. Ça va, ta femme ?

— Ça va bien, merci, m'sieur Francis. Elle est bien, là-bas, à la clinique Saint-Ange. C'est vachement gentil de nous avoir envoyés au docteur Mangel...

— Je t'en prie, Gérard, c'est bien normal, entre anciens collègues...

« Ah, mon Gérard, pense Louis Colbert, je ne savais pas que t'avais bossé au commissariat avec Francis avant qu'il hérite de sa société d'ascenseurs... »

— Tu t'es occupé des journalistes ? demande le maire à son « hussard » avec un clin d'œil complice.

— Oui, m'sieur Francis. Ils sont tous *sagement* installés là-haut, répond Gérard avec un sourire entendu.

— Très bien ! répond Esterhazy en se frottant les mains puis, désignant autour de lui l'ascenseur vitré qui les emmène vers le sommet de la Tour TotalMédia : Alors, messieurs, que pensez-vous de cette magnifique réalisation de l'ASESE[1] ? Belle technologie, hein ? Hein ? Bon, en bas, le spectacle est pas encore très ragoûtant, va encore falloir me raser ces vieilleries, dit-il en pointant le menton vers la masse vétuste de l'hôpital nord, mais ça sera bientôt réglé, ces conneries. C'est pas trois syndicats et une association de quartier de merde qui vont m'empêcher de faire ce que je veux dans ma ville. Hein, mon pote ?

Et, triomphant, Francis Esterhazy fait un doigt d'honneur à la caméra fixée dans un coin de la cabine.

« Bon Dieu, quel salaud ! pense Louis Colbert sans desserrer les dents car sa camionnette, il le sait, n'est pas à l'abri d'un micro baladeur. Si seulement je pouvais poster cette vidéo-ci sur YouTube... Seulement, ce tordu saurait tout de suite d'où vient la fuite. Bah, j'enverrai la transcription de quelques extraits au *Canard enchaîné* ! ça suffira à lui pourrir la vie pendant quelques jours. »

— Qu'est-ce qui se passe, bordel ? Faites-moi redémarrer cette cabine !

C'est le maire, encore une fois, qui vient de se faire entendre. Sur le moniteur, Louis voit le petit homme repousser ses gorilles vers la vitre d'observation, tambouriner sur le

---

1. AScenseurs et EScalators Esterhazy.

tableau de commandes puis sur la porte vitrée de la cabine, qui vient brusquement de s'arrêter entre deux étages.

Il tambourine en vain. Manifestement, son ascension vient de prendre fin avant son apogée. Ivre de rage (et probablement cramoisi, mais l'image est en noir et blanc), Francis Esterhazy apostrophe ses sbires et l'objectif en hurlant :

— Réparez-moi ça tout de suite, nom de Dieu ! Qu'est-ce que c'est que ce souk, bordel de merde !!!! ?

Tandis que Francis Esterhazy boxe alternativement les parois de la cabine et le thorax de ses gorilles, Louis Colbert, fonctionnaire municipal chargé de la surveillance, croise les bras et sourit de toutes ses dents.

— Vous avez raison, monsieur le maire, c'est vraiment une belle réalisation, cet ascenseur...

THREE TO GET READY...

Debout sur le quai, abrité de la pluie battante par un grand parapluie, un homme attend patiemment l'arrivée du train à grande vitesse en provenance de l'aéroport international.

— Docteur Valène !

L'homme se retourne. Sortant de la coursive vitrée qui longe les quais, une femme vêtue d'un imperméable mastic s'approche de lui.

— Comment allez-vous, capitaine Roche ? demande-t-il en lui tendant son parapluie avec un large sourire.

— Très bien, docteur, et vous ?

Elle se réfugie à ses côtés et secoue son journal avant de le glisser dans sa poche.

— Manifestement, on est venus attendre le même train..., répond Marc Valène.

Liliane Roche fait oui de la tête et rougit.

— Et la... enfin, *les* mêmes personnes...

— Mmmhh..., fait Valène, pensif. Compliqué de savoir comment parler d'eux, hein ?

— Oui. Tout est compliqué dans cette histoire. Vous arrivez à suivre, vous ?

Valène ne répond pas. Il contemple le ciel gris plomb, scrute la voie ferrée, pousse un soupir et finit par demander :

— *Qui sont ces deux personnages ?*

— *Valène, médecin légiste, et Roche, flic-en-chef.*

— *Une ripoux ?*

— *Mais non ! Une des héroïnes !*

33

— René vous a souvent donné des nouvelles depuis leur départ, capitaine ?

— Il m'a envoyé trois courriels et appelée deux fois, répond Liliane sans relever l'ironie de Valène. Et vous ? *Elle* vous a fait signe ?

— Mmmhh... Pas plus. Ils étaient probablement trop occupés.

— Vous avez compris ce qu'ils allaient faire, là-bas, à... Pot-de-Moutarde ?

— Pointe-aux-Outardes, corrige Valène en riant. Dans le *Comté de Manicouagan...*, ajoute-t-il en s'efforçant de prononcer ces mots à la québécoise. Là encore je n'en sais pas plus que vous. *Ma* Renée (il sourit en prononçant ces mots) m'a dit qu'ils allaient y faire une sorte de retour aux sources.

— Oui, *mon* René (elle sourit également) m'a dit la même chose...

— Je me demande ce qu'ils ont pu faire là-bas pendant ces six mois..., murmure Roche.

— C'est vraiment compliqué, ces prénoms identiques. Comment arrivez-vous à savoir de qui ils parlent ?

— Chhhhhhhhh !

— Je ne sais pas, mais en tout cas, tous deux avaient envie de le partager avec nous...

— Ah bon ? Qu'est-ce qui vous fait dire ça ?

Valène regarde droit devant lui mais Liliane voit un fin sourire d'ironie plisser les lèvres du médecin.

— Ben, on fait *tous les deux* le pied de grue sous la pluie en attendant leur retour. Non ?

Elle fait un « oui » las de la tête. Tous deux restent silencieux un long moment, comme s'ils cherchaient à entendre le train à travers le tam-tam de la pluie sur la toile tendue au-dessus de leur tête.

Le Train Lumière en provenance de l'aéroport international du Centre-Ouest entre en gare voie 1. Veuillez vous écarter...

Au bout du quai, le train est déjà visible.

— Dites-moi, fait brusquement Valène, vous vous rappelez ce qu'ils nous ont demandé, sur ce même quai, le jour de leur départ ?

— J'espérais que vous l'aviez oublié, répond Roche avec une grimace.

Avec un sourire désolé, Valène sort une pièce de sa poche.

— Pile ou face ?

— Je m'en fous. Pile... Face... Non ! Pile.

Valène écarte le parapluie de leurs deux têtes ; pendant que le train entre en gare, il lance la pièce à la pluie. Quand elle retombe, il la retourne sur le dos de la main de Roche, puis écarte les doigts. Ils baissent la tête et l'un des deux prend un air navré.

— Regarde, dit René Twain pendant que le train ralentit. Ils sont là.

Tu en doutais ?

— Pas vraiment. Mais ça me surprend tout de même un peu. C'est pas facile pour eux, cette histoire...

Oui. Mais ils savent à quoi s'en tenir. On ne leur a pas raconté de salades. Et en disparaissant pendant six mois, on leur a donné le temps d'y réfléchir.

— Mmmhh... On les a pris aussi pour nous, les six mois... Même si on n'a pas eu trop le temps de réfléchir, vu tout ce qui s'est passé à Pointe-aux-Outardes et à Montréal...

Le train ralentit puis freine un peu brutalement. Derrière René, une vieille dame appuyée sur une grosse valise glisse et se raccroche à la silhouette de grande taille, aux cheveux blancs et courts, debout devant elle.

— Pardon !

René se retourne et la gratifie d'un sourire en l'aidant à se remettre sur ses pieds.

— Qu'est-ce qui s'est passé, à Pointe-aux-Outardes ?

— T'inquiète pas, on va sûrement pas tarder à le savoir...

— On n'en sait pas plus que toi. Apparemment, ils sont repartis au Québec entre la première et la deuxième saison.

— ... Pendant les vacances des scénaristes...

— Y a pas de mal... Tu as vu ce que Marc faisait au moment où on entrait en gare ?

Oui, il tirait à pile ou face...

— On va avoir du mal à s'en débarrasser, de ces deux-là, ma grande…, murmure René avec une ironie qui masque mal son émotion.

René sort le dernier de la voiture. Sous leur grand parapluie, Valène et Roche le regardent s'approcher. Le visage de Liliane est radieux ; Marc arbore le sourire crispé du tennisman qui vient de perdre une finale.

— Bienvenue, René ! dit Marc. Comme tu l'as deviné à nos mines respectives, j'ai perdu.

Liliane s'approche de René et l'embrasse. René la serre dans ses bras. Marc détourne les yeux.

— *Où est passée sa sœur ?*

— *Chhhhh…*

— Tu veux bien m'excuser une minute ? murmure René.

— Bien sûr, répond Liliane Roche.

René s'écarte d'elle, reste debout quelques secondes sans bouger puis fait trois pas vers Marc, dont le sourire s'élargit.

— Salut, *ma Blonde*, dit le médecin…

— *Mais d'où elle sort, elle ?????*

— Salut, *Chum*, répond Renée. Ton accent québécois, c'est pas encore ça…

— *Regarde, au lieu de bavasser !*

— Si tu veux que je parle comme toi, faut que tu… que *vous* m'em… (Il se tourne vers Liliane.) Que vous *nous* emmeniez là-bas.

— *Damn ! Damn ! Damn !* s'exclame Renée Twain… Pourquoi t'as-tu perdu c'foutu tirage au sort ?…

Elle jette ses bras autour du cou de Marc et lui donne un baiser langoureux.

— Hé, dit Marc en reprenant son souffle, je suis aussi désolé que toi. Mais au moins on sait que ça va faire des heureux…, dit-il en lui faisant un clin d'œil. Et puis, on se verra demain…

— Oui. Vivement demain, murmure-t-elle en l'embrassant de nouveau. *Bye, Chum.*

— *Bye,* Blonde.

Renée se détourne de Marc et c'est René qui rejoint à grandes enjambées Liliane, qui s'est éloignée en direction de la sortie. Tous deux sortent de la gare enlacés, tandis que Marc les regarde s'éloigner. Soudain, il se met à leur courir après.

— Hé, les amoureux, c'est moi qui ai le parapluie !

Pendant qu'il se lance à leur poursuite, Greg appuie sur le bouton « Pause » et se tourne vers nous.

— *Tu arrives à suivre ?*

— *Euh... J'ai peur de pas avoir bien compris... René et Renée... Ils n'ont... qu'un seul corps ? « Un pour deux » ? C'est ça ?*

— *C'est ça !*

— *Je vois... Et elle dure depuis longtemps, cette... cohabitation ?*

— *C'est de naissance,* lance Dharma.

— *Wow ! Comme des siamois parfaits, en quelque sorte ?*

— *Oui, sauf que des siamois c'est toujours du même sexe. Tandis qu'eux...*

— *J'ai lu quelque chose sur un bébé à deux têtes mais...*

— *Rien à voir,* l'interrompt Greg en secouant la tête.

— *Et ce n'est pas tout,* continue Dharma. *Ils ont aussi des dons très spéciaux. Les personnes que René-e touche ne peuvent pas lui mentir... Quant à René, il sait toujours ce qui ne marche pas...*

— *Ouais,* dit Greg. *Quand leur voiture est en panne, il sait tout de suite si c'est le carburateur...*

— *Mais non, imbécile !* dit Dharma en lui donnant un coup de coude. *Il sait toujours ce qui ne va pas chez les gens. Il sait comment ils « fonctionnent ». Comme un thérapeute !*

— *Okay... Eh bé ! C'est impressionnant...*

— *Oui, on a eu le même sentiment en regardant la première saison !* dit Greg qui se lève et se dirige vers la cuisine. *Vous m'attendez deux secondes ? Je reviens...*

— *Et comment font-ils pour se... changer l'un en l'autre ?*

— *Pour permuter... On ne sait pas exactement. Mais ils le font à volonté, ou presque. Enfin, tu verras.*

— *Et quand l'un des deux... prend le contrôle... enfin tu vois ce que je veux dire... Que devient l'autre ?*

— *Ça dépend. Parfois il reste là, « en retrait », et ils se parlent dans leur tête, tous les deux.*

— C'est un peu voyeur, non ? Surtout s'ils sont avec leur jules ou leur juliette...

— Ah, dans ce cas-là, celui des deux qui n'est pas en première ligne va dormir ou bouquiner dans la chambre jaune.

— La chambre jaune ? C'est quoi, ça ?

— Aaaah... La chambre jaune, s'exclame Greg en revenant avec un plateau portant trois coupes de salade de fruits, c'est l'espace virtuel, imaginaire, dans lequel celui des deux qui n'est « pas là » va s'enfermer pendant que l'autre vit sa vie. Ça a l'air glauque, comme ça, mais en réalité c'est un endroit épatant. Y a tout ce qu'il faut pour des types comme moi : une télé, un lecteur de DVD, un ordinateur, une bibliothèque...

— Je ne comprends pas. La chambre jaune, elle est dans leur tête, c'est ça ?

— Oui.

— Alors comment peuvent-ils avoir tout ça dedans ?

Dharma et Greg se regardent d'un air grave et secouent la tête. Puis Greg déclare :

— Qu'est-ce que t'en penses, ma chérie, on le laisse rentrer chez lui ? Je suis pas sûr qu'il va suivre. Il risque de s'ennuyer...

— Oui, dit Dharma, il n'a pas assez d'imagination, j'en ai peur.

— Hé ! C'est pas parce que j'ai pas vu le début que je suis incapable de comprendre ! Appuie donc sur le bouton de ton machin, là, et mets-nous la suite au lieu de me traiter d'imbécile !

— As you wish...

202

TRANSPORTS EN TOUS GENRES

CHU Tourmens Nord, troisième étage, 18 heures

L'infirmière de garde pousse un juron d'une extrême grossièreté, si fort que deux têtes – celles d'un patient et d'une visiteuse – apparaissent sur le seuil de deux chambres.

Elle se met à tambouriner sur la porte de l'ascenseur. La visiteuse s'approche avec un regard interrogateur. L'infirmière pose le front sur le mur en signe de désespoir.

— Mais c'est pas vrai, je rêve ! Il a été réparé avant-hier et il est encore en panne !

Le patient, un monsieur assez âgé, disparaît dans sa chambre puis en ressort, un petit carton à la main. Il s'approche de la jeune femme en tirant un pied à perfusion sur roulettes au bout duquel un flacon tangue dangereusement.

— Mademoiselle, mademoiselle, je peux peut-être vous aider, dit-il essoufflé. Il y a quinze jours, l'ascenseur de mon immeuble ne marchait plus. Mais un jeune monsieur est venu le réparer dans la journée et ça fonctionne très bien depuis. (Il baisse la voix.) Il nous a même dit que quelqu'un l'avait détraqué, c'est pour ça qu'il tombait en panne régulièrement, mais il nous a arrangé ça...

Il tend une carte de visite à la jeune femme. Pour ne pas vexer le patient, elle le remercie poliment avant de glisser le carton dans sa poche. Puis elle pousse son chariot à médicaments vers l'autre extrémité du couloir pour y emprunter le monte-charge des cuisines. Qui ne fonctionne pas non plus.

41

À deux doigts de foutre son chariot en l'air, l'infirmière fait l'effort de respirer un bon coup et sort de sa poche le carton que le patient vient de lui remettre. Il porte ces mots :

Ets. Robin
Réparations électromécaniques
24/24 et 7/7
60 08 23 67 17

Préfecture de Tourmens

La jeune femme, très belle, n'avait probablement pas encore trente ans. L'attaché culturel l'avait remarquée dès son entrée dans le salon de réception de la préfecture. Il n'avait cru ni ses yeux ni ses oreilles quand elle s'était précipitée vers lui avec un grand sourire pour lui prendre les mains, poser un baiser sur sa joue comme si elle avait été une de ses amies les plus chères, et avait dit : « *Darling* ! Je ne savais pas que vous étiez invité, vous aussi... » Incrédule, l'attaché avait souri bêtement, laissé la jeune femme lui prendre le bras et l'avait suivie à l'autre bout du salon de réception pour boire une coupe de champagne. Alors qu'il allait trinquer sans savoir ce qu'elle voulait fêter, il l'avait entendue se confondre en excuses, expliquant qu'elle l'avait abordé ainsi parce qu'il avait l'air sympathique et compréhensif : elle cherchait à fuir un type qui ne voulait plus la lâcher. Elle avait désigné discrètement un homme gras et d'aspect malpropre, visiblement marri de la voir discuter avec un autre ; elle avait supplié l'attaché de lui servir de cavalier jusqu'à l'heure du repas, afin de décourager son poursuivant. Elle l'avait juré, c'était la première fois qu'elle utilisait pareil stratagème. Son « otage » accepterait-il de le lui pardonner ?

L'attaché culturel avait grand cœur, il lui pardonna sans hésitation. Elle se présenta – *Je m'appelle Clarisse* – *Frank Zarma, enchanté...* Confuse, elle lui raconta qu'elle venait de loin pour rendre visite à son amie Anastacia Volkanova, assistante du maire de Tourmens. Anastacia devait assister à ce dîner, qui promettait d'être sinistre ; elle venait lui tenir compagnie.

Zarma regarda autour de lui, mais Clarisse lui expliqua que son amie s'était éclipsée un peu plus tôt avec la préfète.

Probablement pour parler déco. Cela fit rire l'attaché, de plus en plus charmé par l'esprit et l'humour de la jeune femme. Il fut navré de découvrir que le plan de table les avait placés loin l'un de l'autre, mais ravi quand il la vit procéder prestement à un échange de cartons qui les installa côte à côte. Ils poursuivirent leur conversation pendant tout le repas, sans même s'interrompre lorsque le préfet leva son verre et fit une petite allocution en l'honneur de ses hôtes, les treize attachés culturels consulaires en poste à Tourmens.

— De quel pays êtes-vous l'attaché culturel, monsieur Zarma ? demanda Clarisse.

— De la province du Bas-Yafa. C'est au Yémen.

— Ah ? Vous n'avez pourtant pas l'air...

— Yéménite ? Je ne le suis pas. Je travaille pour le consulat mais je ne suis pas originaire de la province.

— Et comment êtes-vous devenu leur attaché culturel ?

— Euhlamondieu, répondit-il avec humour, c'est une longue histoire. Je ne vais pas vous ennuyer avec ça...

— Je ne vois pas comment je pourrais m'ennuyer avec vous, répondit Clarisse en battant des cils.

Rougissant, il se mit à raconter sa longue, très longue histoire.

Plus tard, Frank Zarma raccompagna Clarisse à son hôtel, qui se trouvait à deux pas de la préfecture *(Anastacia m'a invitée à dormir chez elle mais j'ai préféré venir ici pour ne pas la déranger...)*. Elle proposa à l'attaché de monter prendre un verre. Il la regarda sans oser y croire mais décida de la suivre. À peine avaient-ils pénétré dans la chambre qu'ils s'embrassaient à pleine bouche et ôtaient frénétiquement leurs vêtements. Zarma était nu comme un ver quand Clarisse, encore vêtue – à peine – de sous-vêtements noirs d'un goût exquis, lui demanda de l'excuser un instant et disparut dans la salle de bains.

Là, elle s'assit au bord de la baignoire pour reprendre son souffle. Après avoir réfléchi un long moment, elle se leva, ouvrit une trousse de cuir noir, y saisit un pulvérisateur, réfléchit quelques secondes, puis le remit dans la trousse, s'examina dans le miroir et, s'adressant à son reflet, murmura : « Allez ! Tu as le droit de te faire du bien pendant ton foutu boulot... » Elle ôta ses sous-vêtements, se glissa dans un peignoir de soie et rejoignit l'attaché.

Il l'attendait en souriant. Quand elle se glissa près de lui, il la regarda longuement et dit :

— Il faut que je vous dise quelque chose.

— Je n'ai plus très envie de parler..., dit-elle avec un regard à la fois triste et fatigué.

— C'est la première fois...

— Quoi ?

— ... Qu'une femme aussi belle que vous...

— Et moi, répondit-elle avec émotion, c'est la première fois...

— Je n'en crois pas un mot. Vous êtes si...

Elle posa l'index sur sa bouche pour le faire taire. Il se tut. Elle déplaça doucement son index et posa ses lèvres à la place.

Il était 2 heures quand elle se réveilla, se glissa hors du lit et entra de nouveau dans la salle de bains. Elle sortit le pulvérisateur de la trousse en cuir, ouvrit une mallette fermée à clé, y prit une pochette transparente, puis elle prit une grande inspiration et retourna dans la chambre. L'attaché culturel ouvrit les yeux à son entrée.

— Ça va ?

— Merveilleusement bien, répondit Clarisse. Elle ne mentait pas. Elle était encore toute... retournée par l'intensité avec laquelle il lui avait fait l'amour, deux heures plus tôt. Elle retint son souffle et une larme, puis pulvérisa deux bouffées d'un gaz inodore sur le visage de l'attaché, qui sombra dans un sommeil profond. Les yeux embués, elle déposa un baiser sur ses lèvres et se mit au travail.

Il était 6 heures quand son compagnon la réveilla. Il lui caressait délicatement le dos, ce qui la fit gémir. Il lui mordilla l'épaule. Elle gémit encore plus fort, se retourna vers lui et s'abandonna. Une heure plus tard, il sortit du lit et s'habilla. Il était désolé, mais il devait prendre un train très tôt car il s'absentait de Tourmens pour quelques jours. Pourraient-ils se revoir ?

Elle secoua la tête. Elle repartait chez elle le soir même. Elle vivait... à Brennes, sur la côte.

— Quel dommage, dit-il. J'aurais volontiers passé encore des soirées comme celle-ci avec vous...

Elle le regarda partir avec beaucoup de regrets et autant de remords.

Station de taxi de l'avenue Magne

Il était 7 h 45 lorsque Léon Burma, chauffeur de son état, gara son véhicule sous la borne d'appel. En maudissant le ciel bleu annonciateur d'une belle journée, qui inciterait certainement ses clients potentiels à utiliser les vélos électriques mis à leur disposition par la ville depuis quelques mois, Léon descendit de voiture pour aller boire un café, grignoter un croissant et s'acheter le journal du matin, afin de prendre son mal en patience. Quand il revint, ses emplettes à la main, un homme penché à la fenêtre de son taxi poussait une exclamation en constatant que le véhicule était vide. Léon pressa le pas et actionna la télécommande. Lorsqu'il entendit les portes du taxi se déverrouiller, l'homme leva la tête.

— Bonjour, m'sieur. Je vous emmène où ? lui demanda Léon, en arrivant à sa hauteur.

— À la gare, répondit l'homme.

Léon le regarda avec circonspection. Il avait une cinquantaine d'années, pas beaucoup plus, arborait une barbe bien taillée, des cheveux un peu longs et des lunettes rondes aux verres fumés. Il portait un sac à dos noir et n'avait pas l'air d'aller très fort. Son visage était très pâle ; le blanc de ses yeux était injecté de sang.

Pendant que son client s'installait, Léon monta en voiture, jeta le croissant entamé et le journal sur le siège de droite et plaça son gobelet de café dans une alvéole de l'accoudoir central.

Il mit le moteur en marche, actionna son clignotant et déboîta.

— Beau temps, hasarda-t-il.

Le client ne répondit pas. Il avait appuyé sa tête sur le dossier et semblait chercher sa respiration. Sa main gauche massait vigoureusement son sternum, comme s'il voulait faire passer quelque chose qu'il avait du mal à avaler.

— Ah, les crampes d'estomac, j' connais ça..., tenta encore Léon.

Le client grogna une réponse incompréhensible. Léon n'insista pas.

Cinq minutes plus tard, le taxi s'arrêtait dans l'étroite zone de dépôt-minute devant la gare du train à grande vitesse. Quand Léon leva les yeux vers son rétroviseur, le client avait disparu. Il se retourna et vit que l'homme gisait, recroquevillé, entre les sièges avant et la banquette arrière.

Il jura et sortit, ouvrit la portière et s'écria :

— Qu'est-ce qui vous arrive, m'sieur ?

L'homme ne répondit pas. Léon se pencha vers lui, le toucha d'abord timidement, puis le secoua, sans provoquer la moindre réaction. L'homme ne bougeait plus. Du tout.

Derrière le taxi, un autre véhicule se mit à klaxonner avec impatience.

Vieux Tourmens, rue des Merisiers

René sort son énorme valise du coffre ; Liliane remarque machinalement :

— Renée n'avait pas de bagage ?

Il sourit de toutes ses dents.

— On en a *un pour deux*...

Elle éclate de rire. René désigne la valise.

— Il y a deux compartiments. Le petit pour moi, le grand pour elle, évidemment. Mais on a beaucoup de vêtements communs...

— Et ça te fait quoi d'avoir des petites culottes de femme dans ta valise ?

— Rien. Ce sont les affaires de ma sœur. J'ai l'habitude.

Elle hoche la tête, perplexe, tandis qu'il appuie sur le bouton de l'ascenseur.

— À quoi penses-tu ? demande-t-il doucement.

— À toi, répond Liliane. À vous... À l'étrangeté absolue de cette situation...

— Oui, dit René.

Il ouvre la porte du minuscule ascenseur, laisse Liliane entrer, s'y glisse à son tour et tire la valise à l'intérieur. Quand il se penche pour appuyer sur le bouton du quatrième, il s'approche très près de sa compagne. Il est sur le point de poser ses lèvres sur la bouche de Liliane mais celle-ci esquive son baiser.

— Elle... elle est là ?

Il se redresse sans comprendre.

— Qui, Renée ? Bien sûr que non ! Elle n'est jamais « là » lorsque nous sommes ensemble, toi et moi.

— Qu'est-ce qu'elle fait ? Elle dort ?

— Je ne sais pas, répond-il, gêné. Quand l'un de nous « décroche », l'autre ne sait pas ce qu'il fait.

— Et elle ne pourrait pas... revenir inopinément ?

À présent, il regarde Liliane avec inquiétude.

— Non. Qu'est-ce que tu es en train de me demander, là ? Si nous pourrons avoir une vie privée ? D'accord, ça fait six mois que je suis parti, mais toi et moi on a tout de même eu le temps de passer plusieurs semaines ensemble avant mon départ, et tu as vu comment ça se goupille...

Elle ne répond pas. Déjà, l'ascenseur s'arrête à l'étage de l'agence. René pousse la valise hors de la cabine et sort ses clés. Pendant qu'il déverrouille, un refrain s'élève de la poche de Liliane.

Love, love, love... All you need is love...

— Les Beatles ? *Swell !* fait René. C'est nouveau ?

La jeune femme rougit.

— Capitaine Roche ! Oui, Pierre, je vous écoute...

Après avoir poussé la valise dans l'appartement, René se retourne ; il voit le visage de Liliane s'assombrir.

— Quand ? Et ça nécessite vraiment ma présence ? Ah. Oui. D'accord, j'arrive.

Elle rempoche le téléphone et pousse un juron.

— Du boulot ? demande René.

— Oui. Un type retrouvé mort dans un taxi. C'est peut-être une crise cardiaque, mais Pierre n'est pas convaincu.

— Ah. Si Pierre n'est pas convaincu... D'ailleurs, ajoute-t-il en souriant, à Tourmens, il n'y a jamais de coïncidences... Seulement des énigmes. Et toutes les énigmes ont une solution.

Ils se regardent. Ils connaissent tous deux le professionnalisme du *detective* Goldman et sa discrétion. À moins d'un problème très sérieux, il n'aurait pas perturbé leurs retrouvailles.

René tend les bras pour consoler son amie d'avoir à partir, mais Liliane reste plantée dans le couloir. Il s'approche, lui prend la main. Elle ne bouge pas.

— Vas-y, dit-il enfin. Si ça traîne, tu sais comment me joindre...

Elle hoche la tête ; elle accepte à contrecœur le baiser qu'il veut poser sur ses lèvres, s'écarte de lui et, voyant que l'ascenseur a quitté l'étage, s'engouffre dans l'escalier.

René passe la main dans ses cheveux coupés en brosse.

Elle a changé.

— Oui, dit-il en refermant la porte derrière lui.

Les bureaux de l'agence Twain sentent le propre. La femme de ménage est passée régulièrement pendant leur absence. René ôte son imperméable et l'accroche dans la penderie. Puis, traînant la valise à roulettes, il traverse les bureaux, déverrouille une autre porte et entre dans l'appartement.

Il fait sombre ; une odeur de solitude flotte dans la pièce.

— Quand est-ce qu'on récupère Méphisto ? demande-t-il à voix haute.

Virginie m'a dit qu'elle peut le garder quelques jours de plus.

— *Qui est Méphisto ?*

— *Le chat de Renée. René ne le supporte pas.*

— Tant mieux. J'avais pas très envie de le voir.

— *Le chat de qui ?*

Il passe dans la cuisine, ouvre le frigo, en sort une canette de bière, repasse dans le petit salon, se laisse tomber dans le canapé, allonge les jambes sur la table basse, saisit la télécommande, allume la télé.

Tu ne peux pas lui en vouloir...

— Je ne lui en veux pas.

Arrête ! Tu es complètement fumace.

— 'ccupe-toi de tes affaires.

Euh... Quand tu mens, ça devient mon affaire.

— J'ai menti, moi ?

Tu sais très bien « où » je suis. Je ne vais pas m'enfermer dans la chambre jaune. Je suis toujours là quand tu es avec elle.

— Et j'aurais dû le lui dire ? Pour la faire flipper encore plus ?

Il faudra pourtant bien...

— Rien du tout. Laisse-moi tranquille.

Il se lève, se met à tourner en rond dans la pièce puis dit calmement :

— Prends le volant.

Quoi ?

— Permutons.

Il se dirige vers la chambre, se déshabille, jette ses vêtements sur le lit.

Mais... Et Liliane ?...

— Liliane est partie s'occuper d'une mort suspecte. Si son macchabée est un type important, elle en a pour la nuit. Inutile que tu restes coincée ici. Tu vas faire la surprise à Marc.

Il entre dans la salle de bains, ouvre la douche, fait couler de l'eau très chaude, se glisse dessous.

Tu es sûr ?

— Grouille-toi, avant que je change d'avis.

Il ferme les yeux ; sa respiration se ralentit, il replie les jambes sous lui et se laisse glisser contre la paroi carrelée, sous le jet d'eau brûlante.

Quelques minutes plus tard, Renée sort de la douche sans un mot, ouvre le dressing pour se choisir une tenue. Elle opte pour un jean serré, un pull très moulant.

Elle sourit en imaginant le visage de Marc quand il ouvrira sa porte. Et puis elle pense à René.

— Merci, petit frère.

Mais René ne répond pas. Il s'est déjà réfugié dans la chambre jaune.

OFF THE RECORD (1)

— *Où est-on, là ?*
— *Chez leur psy.*
— *Ils vont chez un psy ?*
— *Absolument.*
— *Il connaît leur... particularité ?*
— *C'est pour ça qu'ils vont le voir, justement ! Pour en parler à quelqu'un.*
— *Et il prend ça comment ?*
— *Très bien. Enfin, autant qu'on sache, car on ne le voit jamais. On l'entend parler, mais on ne voit qu'eux. C'est le seul moment où on les voit tous les deux en même temps.*
— *Ah oui ?*
— *Tu vas voir, c'est très bien fait...*

— C'est de plus en plus difficile de vivre... comme ça.
Je ne sais pas quelle voix vient de prononcer ces mots – comme chaque fois qu'ils sont en grande souffrance, l'un et l'autre. Comme chaque fois qu'un conflit intérieur les empêche de se parler, de me parler.
— Que voulez-vous dire par « comme ça » ?
Leurs voix se superposent.
— Partager le même corps... *Vivre la moitié du temps...* S'effacer devant l'autre au pire moment... *Ou au meilleur...*
Ils se taisent.

— Mais c'est comme ça depuis toujours, non ? Je vous ai entendu dire à plusieurs reprises que vous n'aviez jamais eu aucun mal à cohabiter.

— Oui. Jusqu'ici.

C'est René qui a parlé. J'attends que Renée se manifeste, mais elle reste silencieuse.

— Qu'est-ce qui a changé ?

Depuis que je les reçois en thérapie, je sais presque toujours, à leur visage, lequel va parler. Lorsque c'est René qui « conduit », il joue des sourcils. Lorsque c'est Renée, leur bouche s'anime. À l'expression de leurs traits, je crois que René est sur le point de répondre. Mais c'est Renée que j'entends dire, sur un ton agressif :

— Ce qui a changé, c'est que mon frère avait horreur de sortir et me laissait « conduire » la plupart du temps. Seulement, il est tombé amoureux. Et depuis, il supporte très mal de rester enfermé. Mais moi aussi je suis amoureuse, et je supporte encore plus mal que lui...

— Oui, dis-je en hochant la tête doucement. Je comprends. Alors, comment vous débrouillez-vous ? Je veux dire : comment vous êtes-vous débrouillés jusqu'ici ? Et surtout : quand l'un de vous ne supporte plus la situation, que faites-vous ?

— Rien, répond René, sombrement. Y a rien à faire. Y a rien à dire.

— Voilà ! explose sa sœur. C'est toujours pareil. Il se braque, il ne dit plus rien, il me fait la gueule. J'essaie de parlementer, mais il ne veut rien savoir.

— Je vois. Et... qu'est-ce que vous auriez *envie* de faire ?

Ils se taisent. Les sourcils et la bouche se mettent à bouger en même temps. S'ils n'occupaient pas le même corps, j'imagine qu'ils seraient en train de se regarder. Comme pour savoir qui va oser parler le premier. Brusquement, leur visage s'illumine et ils éclatent de rire. Tous les deux.

— De se *baffer* !

— Je vous demande pardon ?

— On faisait ça quand on était gamins. Quand celui qui était en retrait voulait faire une blague à l'autre, *il lui suffisait de permuter sans prévenir pendant une fraction de seconde*, de s'envoyer une claque et de se retirer assez vite *pour que l'autre la prenne*.

51

Ils pleurent de rire à présent, comme deux enfants évoquant le souvenir d'une gigantesque bataille de polochons.

— Je te hais ! murmure Renée.

— Moi aussi, *Sis'*. Plus qu'hier et bien moins qu'à deux mains...

— *Aaaarggh !* Et en plus, je suis obligée de supporter ses calembours ignobles ! Vous comprenez pourquoi c'est de plus en plus difficile ?

— Je comprends très bien, dis-je en en faisant tout mon possible pour garder mon sérieux. Ma réaction fait redoubler leurs rires.

Quand nous sommes enfin calmés, tous les trois, je dis, non sans effort :

— Mais je vois aussi... que vous n'avez pas encore versé dans une dépression profonde ou un comportement suicidaire. Ce qui veut dire que vous arrivez tout de même à vous accommoder de la situation...

— Pas le *choix*...

— ... mais je me demande comment vos... compagnons respectifs prennent ça.

Une fois encore, ils se taisent. Mais cette fois-ci j'ai le sentiment distinct que c'est par délicatesse, pour laisser parler l'autre.

LA RELÈVE DE LA GARDE

Marc était rentré chez lui le cœur brisé à l'idée de ne pas revoir Renée le soir de son retour. Après avoir passé une bonne demi-heure à jouer de la guitare pour se calmer, il avait fini par se faire réchauffer au bain-marie un quelconque plat pour homme seul. Il regardait tristement l'eau frémir quand on avait sonné. Toujours de méchante humeur, il était allé ouvrir en se demandant qui pouvait débarquer à cette heure.

À peine a-t-il ouvert que, lumineuse et souriante, Renée lui saute au cou et reprend leurs retrouvailles au point où elles se sont interrompues, une heure plus tôt.

— Mais... Comment ?... Pourquoi ?..., tente de demander Marc entre deux baisers. Et... et René ?

— *Shut up and kiss me, Stupid* [1] *!*

Marc s'exécute sans résister. Renée a déjà ôté son imperméable et le pousse vers le salon. Elle le fait basculer de tout son long sur le canapé, se débarrasse de ses escarpins, s'assied à califourchon sur lui, déboutonne la chemise de son *chum* en quelques secondes et s'empresse de défaire la ceinture de son pantalon.

— Liliane a été appelée par Goldman. René n'était pas content, mais il m'a cédé la place. J'ai fait aussi vite que j'ai pu...

— Pour permuter ?...

1. « Tais-toi et embrasse-moi, idiot ! »

— Non, *Dummy*, pour me changer et me refaire une beauté !...

Elle l'embrasse à nouveau, lui dévore goulûment le cou avant de lui mordiller doucement les tétons.

Partagé entre la surprise, le plaisir et le vague souvenir d'avoir quelque chose sur le feu, Marc déboutonne à son tour le jean serré de la jeune femme mais brusquement s'arrête.

— Pourquoi Liliane a-t-elle été appelée ?

— Je ne sais pas... Un mort dans un taxi, que Goldman trouvait suspect...

— Suspect à quel point ?

Renée le regarde.

— Franchement, je m'en fous ! Ce que je sais, c'est que j'ai envie de toi...

Elle retire son pull, saisit les poignets de Marc et lui effleure la bouche du bout de ses seins nus.

— Et toi, tu as envie de moi ? Je t'ai connu plus entreprenant...

Une grimace de souffrance déforme la bouche de Marc.

— Je te fais mal ? demande Renée.

— Si Goldman trouve ça suspect, Liliane va demander une autopsie...

Renée se redresse.

— *Ne me dis pas que tu es de garde !*

— Je ne l'étais pas jusqu'à votre arrivée... Mais quand vous êtes partis... enfin quand *René* et Liliane sont partis, j'ai appelé l'institut médico-légal et je leur ai dit qu'ils pouvaient m'appeler en cas de besoin. Lhombre est de garde, mais il fait l'autopsie d'un enfant retrouvé par les pompiers au bord de la Tourmente...

— Tu veux dire qu'on risque...

Une musique monte de la poche de Marc. Il tente d'extraire son portable coincé sous l'une des cuisses de Renée mais celle-ci reste assise sur lui et croise les bras sur ses seins outragés. Marc réussit péniblement à récupérer son téléphone et répond sous les yeux assassins de sa compagne.

— Valène ! Oui, Cécile. Oui... (Il soupire.) Oui, je vais venir... À tout à l'heure...

Il referme son téléphone et fait un sourire navré à Renée, dont le visage furieux s'éclaire soudain. Elle tend la main vers lui.

— Donne.

Elle lui prend le téléphone. Elle compte jusqu'à trente à haute voix, puis enfonce la touche « Rappel ».

— Cécile ? Bonjour, ici... la *secrétaire personnelle* du docteur Valène. Il vient de partir... pour une urgence. Oui, une vieille dame, asthmatique, cardiaque et sans famille qu'il soigne depuis très longtemps et qui va très mal... Non, il ne consultait pas aujourd'hui, mais il donne toujours son numéro personnel à ses patients fragiles. Eh, oui, c'est ça la médecine générale ! Pas moyen d'être tranquille... Oui, oui, dites bien au capitaine Roche qu'il viendra faire son autopsie dans un... petit moment. Vous savez comment sont les vieilles dames, il faut souvent prendre son temps pour les rassurer... Merci beaucoup ! Au revoir.

Elle éteint complètement le téléphone, le jette par terre et repousse Marc, hébété, sur le canapé.

— *Problem solved. Now, I want my sugar, daddy* [1].

— Mais...

— Mais quoi ? Ton cadavre sera encore mort dans une heure, non ? dit-elle en tirant sur son pantalon.

— Si...

— Moi, en revanche, ajoute-t-elle en tirant sur le caleçon de Marc pour apprécier *(Aaaahhh)* l'état dans lequel elle l'a mis, j'ai besoin de tes soins assidus... Tout de suite. Tu sais comment sont les vieilles dames...

Là-bas, sur la cuisinière, l'eau de la casserole s'évapore lentement.

---

1. « Problème résolu. À présent, je veux mes sucreries, papa... »

LES FILLES DU MAIRE

En voyant Clarisse entrer, la secrétaire du Laboratoire d'analyses biologiques Tourmens-Centre a un haut-le-cœur. Plusieurs fois par semaine, cette... *fille* ou l'une de ses... collègues débarque vers 10 heures. Superbement maquillée et vêtue de manière extrêmement élégante, incroyablement sexy et invraisemblablement coûteuse, elle demande à parler à l'un des biologistes, toujours le même.

— Pouvez-vous prévenir le docteur Sark qu'il a une livraison spéciale ?

Puis elle s'installe dans la salle d'attente, au milieu des patients, pendant que la secrétaire prévient le docteur Sark. Celui-ci ne tarde jamais à apparaître pour conduire la jeune femme vers la section spéciale, aménagée il y a six mois, dont il est le seul biologiste. Un quart d'heure plus tard, la jeune femme réapparaît au bout du couloir, lance un grand sourire à la secrétaire et repasse les portes dans l'autre sens.

La secrétaire n'aime pas Clarisse et ses collègues. Elle ne sait pas pourquoi elles viennent ici aussi souvent. Le docteur Sark, un biologiste au regard inquiétant et au fort accent de l'Est, semble avoir pour tâche exclusive, plusieurs matinées par semaine y compris le dimanche, de recevoir ces jeunes femmes dans ses locaux inaccessibles. Elle a vaguement entendu dire que Clarisse, Sandra, Sylvia, Natacha et Léna – ce ne sont certainement pas leurs vrais prénoms – travaillent pour la mairie, dans un service d'hôtesses chargées spécialement de l'accueil des invités de marque. Mais la secrétaire trouve étrange et, pour tout dire, un peu choquant que de simples hôtesses d'accueil puissent porter de coûteuses robes de cocktail payées par la municipalité de Tourmens. Il s'agit de l'argent des contribuables, tout de même.

— Pouvez-vous prévenir le docteur Sark qu'il a une livraison spéciale ?

— Grmbll...

— Vous n'avez pas bien dormi ? demande Clarisse avec un sourire charmant.

— J'dors jamais bien, répond la secrétaire, agacée. Et vous ?

— Mmmhhh, fait Clarisse avec un langoureux mouvement des épaules, j'ai pas dormi beaucoup cette nuit, mais très bien... Vous le prévenez ?

— Oui, oui. Je vous l'envoie, fait la secrétaire en désignant du menton la salle d'attente.

Tous les regards se tournent vers Clarisse quand elle croise ses jambes parfaites pour lire *Closer* au son de Tourmens Classique, dont la musique sirupeuse s'écoule des haut-parleurs.

Agacée, la secrétaire se venge en changeant de station et passe sur Tourmens Info.

... « vient d'apprendre que le corps sans vie de M. Frank Zarma, attaché culturel du Bas-Yafa, au Yémen, a été retrouvé dans le taxi qui le conduisait à la gare de Tourmens. Il semble qu'il ait été victime d'une crise cardiaque. Il était hier soir l'un des invités d'honneur de la soirée de gala de la préfecture. La présence de l'attaché culturel du Bas-Yafa marquait le début des relations que la région Centre-Ouest sous la direction de M. Esterhazy, député-maire de Tourmens, entend nouer avec plusieurs pays musulmans... »

— Où est la fille ?

La secrétaire lève la tête. Manifestement fâché, le docteur Sark la dévisage.

— Quelle fille ?

— Celle qui m'a fait appeler.

Machinalement, la secrétaire désigne la salle d'attente. Mais Clarisse a disparu.

Au premier sous-sol du magnifique Centre culturel multimédiatique Michel-Houellebecq, entre les loges des artistes et la zone d'entrepôt des décors et machineries de théâtre, la pièce dans laquelle on vient d'installer une armoire électrique contenant les relais de l'étage a été affectée au rangement de tout ce qui ne sert à rien – ou dont on ne voit pas très bien à quoi ça pourrait servir : emballages et cartons vides, pièces de bois sans destination, pots de peinture ouverts et encore à demi pleins, plaques d'isolation non utilisées. Bref, la petite pièce sert de débarras. Chaque fois que les contremaîtres font visiter les lieux au maire ou à une autre personnalité, ils ouvrent et referment la porte de ce débarras plus vite que la fois précédente. Bientôt, ils ne l'ouvriront plus, et oublieront que s'y amasse un capharnaüm indescriptible.

203

LA MONTÉE DU TERRORISME

Tourmens Info – Reportage :
Vivre à Tourmens-Nord

« Depuis plusieurs mois, des centaines d'habitants de la zone nord rencontraient de grandes difficultés en raison des pannes répétées d'ascenseur dans les immeubles gérés par la ville. Pour éviter toute suspicion de favoritisme, l'entretien du parc électromécanique avait jusqu'ici été confié à HighCensor, petite société familiale de Brennes, et non à l'ASESE, grande société nationale, dont le maire Esterhazy est, comme chacun sait, l'actionnaire majoritaire. Or, devant l'impossibilité de recruter en nombre suffisant un personnel compétent, faute de pouvoir le rémunérer à l'égal des grandes entreprises, la société HighCensor, qui rencontrait depuis plusieurs mois de grandes difficultés financières, a déposé son bilan. Tous les ascenseurs de la ville sont donc aujourd'hui menacés de rester, s'ils tombent en panne, immobilisés pour une durée indéterminée. Devant ce cas de force majeure, les syndics et gérants d'immeubles privés ont évidemment fait appel à l'ASESE, dont le siège social et les principaux ateliers se trouvent dans la zone industrielle sud de Tourmens. Mais pour les habitants des HLM et bâtiments publics, le problème reste entier : des raisons évidentes de conflit d'intérêt ont interdit au conseil municipal de confier à l'ASESE l'entretien des immeubles gérés par la mairie. Francis Esterhazy tient à ce que sa gestion soit conforme à l'éthique...

« Les services municipaux, en principe habilités à assurer les réparations urgentes, ne parviennent pas à faire face à toutes les demandes venant des locataires des HLM ; il semble cependant que pour plusieurs groupes d'immeubles de la zone nord, les choses soient en voie d'amélioration, grâce à une intervention surprenante. Un reportage de notre correspondant local, André Véga... »

(Voix du journaliste.)

« Tour n° 6, quartier des Sablonnières, Tourmens Nord. » *(Son d'une porte d'appartement qui s'ouvre et se referme. Bruit de clés dans une serrure.)* « Comme tous les matins, Henriette Salazar, quarante-sept ans, sort faire les courses pour sa mère, Léontine, âgée de quatre-vingt-quatre ans. Et comme tous les matins, elle se prépare à descendre douze étages à pied et à les remonter avec son cabas plein. »

(Voix de femme.)

— Je peux pas faire des courses trop lourdes, parce que je n'ai pas la force de les remonter, j'ai de l'arthrite dans les deux épaules ; alors je suis obligée de descendre tous les jours ou presque ; je fais les courses pour ma mère et pour mon mari, qui est en invalidité depuis son accident, et aussi des fois pour une voisine âgée...

(Voix du journaliste.)

— Depuis quand l'ascenseur est-il en panne ?

— Euhlamondieu, ça fait bien deux ans !

— Il n'a jamais été réparé ? Vous n'avez vu personne ?

— Non, au début on appelait tous les jours pour savoir si quelqu'un pouvait venir parce qu'il y a des gens âgés au quinzième et au seizième étage, et on nous promettait toujours quelqu'un mais au bout de quelques semaines on a été obligés de se débrouiller sans ascenseur. Alors pendant quelques mois les locataires se sont organisés par étage, pour faire un tour des courses, les personnes qui avaient une voiture se proposaient d'aller à l'hyper, au bord de la rocade, et les jeunes se dévouaient pour monter les choses lourdes, les paquets de lessive, les bouteilles d'eau. Mais petit à petit c'est devenu intenable, les gens ne pouvaient plus rien commander et on peut comprendre, hein ? Personne ne veut livrer ou réparer dans un appartement au dixième sans ascenseur ! Alors beaucoup de locataires ont déménagé. À notre étage, il y a dix appartements, et six sont vides. Et c'est comme ça dans toutes les tours du quartier ; les gens s'en vont quand ils peuvent, et ça se comprend. Nous, si on pouvait, on partirait aussi, pour mon mari ça serait plus pratique qu'on habite un rez-de-chaussée ou même un petit pavillon en dehors de la ville, pasque les ascenseurs assez larges pour son fauteuil roulant ça court pas les rues... Mais si on partait ma mère n'aurait plus personne, et elle ne veut pas partir, alors on reste avec elle...

(Voix du journaliste.)

« Par habitude, presque par superstition, Henriette Salazar s'approche de la porte de l'ascenseur et s'apprête à appuyer sur le bouton d'appel. »

— Vous l'appelez tous les jours ?

(Voix d'Henriette Salazar.)

— Oui, c'est un réflexe, je me dis qu'un jour...

« Et justement, aujourd'hui... »

(Bruit de porte d'ascenseur qui s'ouvre.)

— Mon Dieu ! C'est-y possible...

(Voix d'une autre femme sortant de l'ascenseur.)

— Oui. Il fonctionne ! C'est bien, hein ?

— Mais c'est incroyable. Comment ça se fait ?

— Il a été réparé pendant la nuit. On s'en est rendu compte ce matin ; je fais le tour de tous les étages pour annoncer la bonne nouvelle !

— Cette nuit ? Mais qui l'a réparé ?

(Voix du journaliste.)

« La remise en service de l'ascenseur dans la tour n° 6 est en effet quasi miraculeuse. Rien ne la laissait prévoir : aucun avis n'a annoncé le passage des techniciens et personne ne les a vus travailler. Nul ne sait qui a procédé à ces réparations, qui ont certainement duré plusieurs jours, mais dans la cabine figure désormais une étiquette autocollante portant le nom d'une société inconnue et un numéro de téléphone portable. Pour en savoir plus, j'ai appelé. »

(Voix de jeune femme.)

— Électromécanique Robin.

(Voix du journaliste.)

— Bonjour, mademoiselle. Je vous appelle au sujet d'un ascenseur en panne.

— Où est-il situé, monsieur ?

— Dans la tour n° 6, quartier des Sablonnières, en zone nord de Tourmens.

— Ne quittez pas, je vérifie...

(Silence, puis la voix de femme se fait entendre à nouveau.)

— Ah, je ne comprends pas, monsieur, cet ascenseur devrait fonctionner... Il a été remis en service tout récemment. Il est de nouveau en panne ?

— Non, non pas du tout ! Il fonctionne très bien, et même mieux qu'avant, d'après les locataires de l'immeuble, mais je voulais savoir qui vous a demandé de le réparer ?

— Je ne peux pas vous répondre ; mais dès que nous avons été contactés, nous avons envoyé une équipe.

— C'est la première fois que vous intervenez sur un ascenseur du quartier ?

— Voyons... Non, nous avons déjà procédé à des réparations dans plusieurs immeubles HLM du secteur et nous devons intervenir sur d'autres sites de la zone nord.

— Toujours dans des HLM ?

— Dans des HLM et d'autres immeubles appartenant à la ville.

— Mais en principe, c'est aux services municipaux de s'en occuper, non ?

— Ah, je ne sais pas, monsieur, mais nous avons été chargés de ces réparations...

— Et vous ne pouvez pas nous dire par qui ?

— Non, monsieur, je l'ignore...

— Les habitants des immeubles concernés sont très heureux que leurs ascenseurs fonctionnent, mais ils n'ont vu et entendu aucun ouvrier...

— Nous procédons de manière très discrète, afin de ne pas gêner les locataires.

— Mais quand vos techniciens interviennent-ils ? La nuit ?

— Ils interviennent aux moments le moins susceptibles de gêner les usagers, et en respectant toutes les règles de sécurité...

(Voix du journaliste.)

« Comme vous le constatez, cette jeune femme parfaitement courtoise n'a guère éclairé ma lanterne. Intrigué, j'ai voulu en savoir plus sur le sauveur des Sablonnières. Curieusement, aucune entreprise Électromécanique Robin ne figure au registre du commerce. Elle n'a ni adresse postale, ni site internet, et le numéro de téléphone portable figurant sur les affichettes n'est pas un numéro local. Je me suis donc adressé à la mairie et voici ce que m'a répondu M. Jurandeau, responsable des services d'entretien de la ville :

(Voix d'homme.)

— La mairie n'a chargé aucune société de réparer les ascenseurs du parc municipal.

(Voix du journaliste.)

— Vous voulez dire que vous ne savez pas qui a réparé ces machines ?

— Non, chais pas du tout et ça me paraît vraiment bizarre, vu que plusieurs de ces machines étaient en panne depuis plusieurs mois, qu'on était en attente de pièces, et qu'en principe, elles *devraient pas* fonctionner...

— Et pourtant, c'est le cas, je peux en témoigner ! Au cours des trois dernières semaines, une douzaine d'ascenseurs et de monte-charge ont été remis en service par la société Robin...

— Chais pas qui c'est, on n'a jamais travaillé avec eux.

— Donc, ce n'est pas la municipalité qui paie les travaux ?

— Non, pas du tout, et pour tout vous dire, je pense que cette société Robin intervient de manière illégale, d'ailleurs j'ai prévenu les services de police pour qu'ils fassent une enquête...

— Vous voulez qu'on enquête sur une société qui *répare* les ascenseurs en panne ?

— Ben oui, vous comprenez, c'est pas réglementaire, ils n'ont prévenu personne, on n'est pas au courant, et il est pas normal qu'on répare le matériel municipal comme ça, sans autorisation. Quand vous m'avez appelé la première fois pour me parler de ça, j'ai prévenu les services juridiques et ils m'ont bien dit que toucher sans autorisation aux matériels municipaux c'est quasiment des actes de terro... enfin, de vandalisme, au moins.

— Vous pensez que la mairie va entreprendre des poursuites ?

— Si cette entreprise est intervenue sans autorisation sur les ascenseurs municipaux, alors oui, y aura des poursuites. On peut tout de même pas laisser n'importe qui réparer les ascenseurs de la ville comme ça, sans rien dire !

— Pardonnez-moi d'insister, mais ne trouvez-vous pas paradoxal de poursuivre une entreprise qui facilite la vie des citoyens et qui, somme toute, vient en aide aux pouvoirs publics ?

— Ben... C'est pas légal. C'est tout ce que je peux vous dire.

(Voix du journaliste.)

« En attendant les éventuelles poursuites que la mairie pourrait entreprendre contre la société Électromécanique Robin, les habitants des quartiers nord respirent et bénissent ces... terroristes d'un nouveau genre. C'était André Véga, pour Tourmens Info. »

PETITES MORTS ET GRAND SOMMEIL

— Quel âge avait-il ? demande Véronique Storch en soulevant le drap pour examiner le cadavre de l'attaché culturel.

— Voyons, répond Valène, il est né le 22 février 1955. Il avait donc... cinquante-six ans bien tassés.

— Il est bien conservé, dites-moi... Regarde son ventre, il est moins bedonnant que toi, Pierre ! dit-elle en se tournant vers l'homme qui vient d'entrer à sa suite dans la salle d'autopsie.

— Peut-être, grommelle l'inspecteur Goldman, mais ça l'a pas empêché de claquer...

— Oui. Et puis toi, tu es bien soigné...

Storch pose une main tendre sur le ventre de son collègue et compagnon. Goldman repousse délicatement la main de la jeune femme et se racle la gorge.

— La patronne aimerait savoir de quoi il est mort, docteur. Là, elle est occupée à parlementer avec le consul du Haut-Yémen...

— Du Bas-Yafa..., corrige Valène.

— C'est ça, reprend Storch... Il a l'air plutôt en colère qu'on retienne le corps de son attaché, vu que c'était aussi son interprète...

— Je ne pense pas qu'il pourra lui resservir d'interprète après l'autopsie..., commente Goldman.

— Un peu de tenue, voyons, ce pauvre homme mérite votre respect, tout de même.

— Toutes mes excuses, monsieur, dit gravement Goldman à l'attention du cadavre. Vous savez de quoi il est mort, toubib ?

— Eh bien, sauf découverte imprévue aux dosages toxicologiques, je pense qu'il a tout simplement fait un arrêt cardiaque.

— Infarctus ?

— Pas du tout. Son cœur est tout à fait sain, il n'avait pas d'athérome dans ses coronaires, et ses jolis poumons roses m'ont confié qu'il ne fumait pas.

— Alors comment pouvez-vous dire qu'il a fait un arrêt cardiaque ?

— C'est la seule explication que j'ai pour l'instant. *De battre, son cœur s'est arrêté*. Peut-être un trouble du rythme paroxystique. Ça peut arriver n'importe quand. En tout cas, si vous voulez mon avis, il est mort content.

— Qu'est-ce qui vous fait dire ça ? demande Storch en soulevant le drap.

— Les divers prélèvements effectués sur le membre viril que vous admirez en ce moment, ma chère ! On y a retrouvé de la salive et des cellules buccales et vaginales en abondance. Il y avait aussi des traces de sperme frais dans son caleçon. Selon toute vraisemblance, il est mort peu après être sorti de sa bonne amie.

Le visage pivoine, Storch laisse tomber le drap.

— *Docteur !*

— Pardon ! De *chez* sa bonne amie... J'ai fait faire un typage ADN des cellules épithéliales, bien sûr.

— C'était pas la peine, commente Goldman. S'il a fait une crise cardiaque, pour moi, l'affaire est classée.

— Je ne crois pas...

Valène saisit le bras gauche du cadavre et désigne une minuscule plaie rouge au pli du coude.

— On l'a piqué.

— Vous pensez qu'on lui a injecté quelque chose ?

Avant que le médecin ait pu répondre, un téléphone cellulaire se met à sonner.

— C'est le générique de *Mission : Impossible* ! s'exclame Goldman. Vous avez bon goût, docteur.

Valène porte la main à sa poche.

— Mmmhhh. Renée n'est pas de cet avis, mais merci quand même... Ici Valène ! Bonsoir, Marie... Ah, c'est adorable, ça.

Vous les avez *déjà* ? C'est merveilleux, la technologie. Non ? Sans blague ? J'ai Goldman et Storch sous la main, je les préviens tout de suite. Merci, Marie, à bientôt.

Il raccroche et secoue la tête en souriant de toutes ses dents.

— Le mystère s'épaissit. C'était la petite Marie Taranger, de l'identité judiciaire. Notre ami l'attaché a bu modérément, la nuit dernière, et on n'a retrouvé dans son sang ni excitant ni stupéfiant. Pas même de quoi l'aider à bander, ce qui veut dire qu'il était *vraiment* en forme... Dommage qu'il n'ait pas pu en profiter plus longtemps. Selon toute vraisemblance, il est mort d'une très belle mort...

— Où est le mystère, alors ?

— Eh bien, elle a retrouvé des traces d'héparine dans la piqûre.

— De l'héparine ?

— Elle vient probablement du trocart qu'on lui a mis dans le bras. On en met dans les flacons de prélèvement pour que le sang ne coagule pas.

— On lui a pris du sang ?

— Oui... Trois ou quatre heures avant sa mort !

— Pendant qu'il était encore...

— *Chez* sa bonne amie...

Les deux inspecteurs se regardent et se lancent un large sourire, mais Valène secoue la tête.

— Non, mes enfants, je vous arrête tout de suite. Les vampires font leurs... *prélèvements* au cou, et il n'est pas mort de ça. Mais si vous voulez savoir à qui il a donné du sang en s'envoyant en l'air à 4 heures, vous allez pouvoir interroger sa partenaire de trapèze : le typage ADN est revenu. Tenez, le fax de notre amie Marie est en train de s'imprimer. Voyons. Et notre pseudo-Vampirella, dont le prénom est Clarisse... mais je ne lis pas bien son nom de famille... est fichée...

— Comme délinquante ?

— Connaissant son employeur, je serais tenté de répondre : « Presque. » Comme vous le savez, not'bon maire a pris la déplorable habitude d'exiger un frottis buccal de toute personne temporairement ou durablement salariée par la mairie. La jeune femme qui a si expertement *pompé* (Valène fait un clin d'œil à Storch)... le sang de feu notre ami l'attaché est une employée municipale, et d'après cette fiche, elle émarge...

De nouveau, Storch et Goldman se regardent.

— ... au service des VIP ! s'exclament-ils ensemble en se dirigeant vers la porte.

Une moue appréciative apparaît sur le visage de Marc Valène.

— Et on applaudit Nick et Nora, notre couple de détectives favori, qui reviendra en troisième semaine...

LA GUEULE DU LOUP

Accablé, René entend sa sœur renifler. Renée est allongée nue sur le lit. Sur l'écran, Roxy, Claudia Joy et Pam entourent leur amie Denise, debout près du cercueil de son époux mort au combat.

Ah lala, les séries de nanas, c'est toujours pareil... Quand un mari est trop encombrant, on le supprime ! Comme c'est facile !

— Tais-toi ! dit Renée. Laisse-moi regarder, c'est le dernier épisode de la saison...

C'est pas dommage ! J'en ai rrras-le-cul d'tes Army Wives*, là ! À c't'heure, j'ai une furieuse envie de te... baffer.*

— Essaie, et je te coiffe les gosses[1] au chalumeau !

Câlisse !....

— T'as qu'à dormir !

C'est ça ! T'sais bien que quand tu chiales, je peux pas fermer l'œil !

— Ah, laisse-moi donc ! Si tu veux pas dormir, *shut up* !

— *Hahaha ! T'entends ça, Greg ? Renée regarde* Army Wives *!*

— *C'est quoi ?*

— *Une série de nanas... Ça t'intéressera pas.*

— *Je te demande pardon ! C'est la chronique des femmes de militaires dans une base de l'armée américaine. Et c'est très très bien !*

— *Oui ma chérie...*

---

1. Le mot « gosses », au Québec, désigne les testicules.

Le cellulaire de l'agence se met à sonner.

— C'est pas vrai ! Je vais jamais arriver à voir la fin !

Dites donc, il arrête pas de sonner, le téléphone, dans cette série...

Renée appuie rageusement sur le bouton « Pause ».

Tu veux que je réponde pendant que tu regardes la fin de l'épisode ?

Elle hausse les épaules et porte le téléphone à son oreille.

— Agence Twain Peeks, Renée Twain à l'appareil.

— Euh... *Mademoiselle* Twain ? demande une voix féminine aux accents slaves.

— Elle-même.

— Parrrdon... je voulais...

— Parler à mon frère ? Qui le demande ?

— Je suis Anastacia Volkanova, l'assistante personnelle de monsieur le mairrrre. Il aimerrrait rrrencontrrrer *monsieur* Twain.

Qu'est-ce que c'est que ce souk ? Le maire veut me voir ? Temporise !

— Si vous voulez bien patienter quelques secondes...

Renée appuie sur le bouton « Silence » du téléphone.

Qu'est-ce qu'il me veut, à ton avis ?

— Aucune idée. Tu as cherché à le contacter ?

Pas du tout. J'ai même du mal à croire qu'il connaît notre existence...

— On a quand même fait un peu parler de nous, l'an dernier... Je lui dis d'aller se faire voir ?

Non. Il faut qu'on sache ce qu'il veut. Je la prends.

— René Twain à l'appareil.

— Bonjourrr, monsieur. Je vous mets en communication avec monsieur le mairrrre.

Un silence, un déclic, puis une voix très caractéristique à l'oreille de tous ceux qui écoutent les nouvelles locales.

— René Twain ?

— Lui-même.

— C'est l'maire Esterhazy. Ça va ?

Toujours aussi familier, le maire de Tourmens. Il te parle comme si vous étiez copains de régiment.

— Euh, ça va... Et vous ?

Et Mme Deux ? Il l'épouse quand, finalement ? Une année de veuvage, c'est bien assez, povchéri...

— Ça va impec'. On peut s'rencontrer ? À la mairie, dans une heure ?

Dis donc ! Il est pressé de te voir !

— Euh... Oui, bien sûr, si vous voulez. C'est à quel su... ?

— Z'êtes le meilleur enquêteur de la région ; j'ai pas oublié ce que vous avez fait pour la ville y a un an. J'ai un boulot à vous proposer.

Ben voyons !

— Ah, bien... Mais vous avez raison, il vaut mieux qu'on parle de ça de vive voix. Je serai à la mairie dans une heure.

— Très bien. Une dernière chose : quel est vot' poids ?

— Je vous demande pardon ?

— Vous pesez combien ?

— Euhh... Quatre-vingt...

Quatre-vingt-deux...

— ... deux kilos.

— Parfait. On se voit dans une heure ? Si vot' sœur veut venir, elle peut, hein ?

Connard !

— Merci. Je le lui dirai...

Mais avant même que René ait pu finir sa phrase, le maire a raccroché. Sur l'écran de la télévision, les trois femmes de militaires ont repris leur conversation. En sautant sur le lit pour se lover contre le ventre de Renée, Méphisto a appuyé sur le bouton « Lecture ».

— Désolé, le chat, faut qu'on bouge...

En entendant la voix de René sortir de la bouche de sa maîtresse, Méphisto se hérisse et bondit au bas du lit. René se lève. En titubant, il dirige vers la salle de bains.

Tu vas pas y aller, quand même ?

— Pourquoi pas ? Ça m'intrigue, et je suis curieux de nature.

Il saisit la télécommande et éteint la télévision.

— Navré, *Sis'*, tu finiras ton *soap* ce soir. Allez ! Une bonne douche pour permuter, un peu de ravalement de façade...

T'avise pas de toucher à ma crème hydratante !

RECRUTEMENT (1)

Le docteur Jérémy Mangel lance un regard offusqué au jeune homme qui vient de lui parler.

— Que me dites-vous là ? demande-t-il d'un ton hautain.

— Je ne veux pas de traitement complémentaire, répète l'adolescent posément.

— Vous ne *voulez pas...* ? Je ne suis pas du tout sûr que vos parents soient d'accord...

— Nous sommes parfaitement d'accord, l'interrompt le père, jusqu'ici silencieux. Éric est en rémission depuis plusieurs mois ; ma femme et moi (il se tourne vers son épouse, qui hoche la tête en signe d'assentiment) ne voyons pas l'intérêt de lui imposer d'autres traitements. Il va bien, son état est excellent, il est retourné au lycée, il a repris la musique... Et puis, il a quinze ans, il a le droit de décider...

— Rémission n'est pas guérison ! l'interrompt sèchement le chirurgien-cancérologue. Sa leucémie peut récidiver d'un jour à l'autre, et pour prévenir les rechutes, il est *in-dis-pen-sa-ble* d'éradiquer toutes les cellules malignes de sa moelle par irradiation, en prévision de sa greffe.

— Je n'ai pas besoin de greffe, docteur, dit l'adolescent. C'est la première fois que je vais aussi bien depuis qu'on m'a diagnostiqué ma leucémie. J'ai déjà eu trois séries de chimio, et mes rémissions sont de plus en plus longues. Ça fait maintenant dix-huit mois que j'ai pas fait de rechute et si j'en fais pas pendant encore trois ans, je serai guéri.

Le praticien devient écarlate. L'assurance de l'adolescent l'a mis hors de lui. Comment ce *petit con* peut-il lui tenir tête ? Quant à ses parents, ils sont fous à lier de se laisser ainsi dicter les décisions par leur gamin ! Il fait l'effort de se contrôler et, s'adressant à tour de rôle aux deux parents en évitant soigneusement de croiser le regard de l'adolescent :

— Voyons, monsieur... et surtout *vous*, madame, soyez raisonnables. Vous n'allez tout de même pas laisser votre fils prendre une décision pareille ! Elle pourrait lui coûter la vie ! Et vous en seriez responsables !

Le fils et la mère bondissent sur leur siège. Le père, très calmement, pose les mains sur leurs bras pour les rassurer.

— Je trouve déplacé de chercher à nous culpabiliser, *docteur*. Nous n'avons jamais négligé les soins d'Éric. De plus, il n'a pas pris cette décision à la légère. Il en a discuté longuement avec nous et avec le docteur Plard, votre collègue du CHU...

— Cette... *gourde* n'y connaît rien ! éructe le spécialiste, elle va entendre parler de moi ! Et vous, madame, monsieur, n'êtes pas en mesure de décider quel traitement est approprié pour votre fils. Si vous persistez à le refuser, je ferai appel à la justice !

— Ah ! fait le père, glacial. Vous voulez dire, comme l'un de vos collègues l'a fait il y a quelques années pour un autre jeune homme qui refusait d'entrer dans un de ses protocoles d'essais thérapeutiques ?

Il se lève, puis invite son fils et sa femme à se diriger vers la sortie.

— Nous savons à quoi vous voulez soumettre Éric, docteur. Vous savez, les patients ne sont pas comme les médecins : ils se parlent. Surtout dans les salles d'attente. Les greffes que vous proposez sont expérimentales, mais vous ne le dites pas et vous faites peur à vos patients pour qu'ils acceptent tout sans poser de questions.

— Comment *osez*-vous ?...

— Seulement, vous n'êtes pas le bon Dieu, docteur, et vous n'avez pas le droit de nous imposer quoi que ce soit.

Tandis qu'Éric et sa mère quittent la pièce, le père sort de sa sacoche un fort volume à couverture bleue et le pose sur le bureau du docteur Mangel.

— C'est un livre sur les droits des patients. Je vous le recommande. Nous avons décidé de vous l'offrir, pour que vous y réfléchissiez à deux fois avant de recommencer vos intimidations avec quelqu'un d'autre. Nous allons nous adresser à un autre spécialiste pour suivre Éric. Vous serez bien aimable de lui communiquer son dossier. Et ne cherchez pas à faire pression sur nous, car moi aussi je peux porter plainte. Bonne lecture, docteur, conclut-il avant de sortir à son tour.

Ivre de colère et de frustration, le docteur Mangel ne quitte pas son siège. Il doit retrouver son calme avant de recevoir le patient suivant. Il regrette d'avoir invoqué le recours à la justice. C'était maladroit, compte tenu de la récente inculpation de son cousin Gérard dans l'affaire des hypophyses [1]. Et, de toute manière, l'inclusion de ce petit crétin d'Éric dans l'essai n'était pas indispensable. Il dispose déjà d'un nombre suffisant de sujets et se mettre cette famille à dos risquerait d'attirer l'attention. Mieux vaut faire le mort sur ce coup-là ·

Il décroche son téléphone et appuie sur un bouton.

— Carmen ? Appelez tout de suite Plard. Dites-lui de ne pas venir faire ses consultations demain… Oui, vous m'avez bien entendu ! Pourquoi ? Parce qu'elle est virée ! Quoi ?… Je me fous complètement que son carnet de rendez-vous soit plein. Vous n'avez qu'à proposer à ses patients une date ultérieure avec Soligny ou avec moi. Quoi ? Eh bien, ils patienteront six mois, et voilà tout !

Il raccroche rageusement et compose un numéro extérieur.

— Christine ? Combien de prélèvements positifs Sark a-t-il signalé, le mois dernier ? Ah ! Très bien. Il a vérifié le protocole ? Bien. Et combien de… dossiers avez-vous reçu cette semaine ?… Ah ! ! ! Parfait ! Les trois patients que je vous ai envoyés la semaine dernière ont bien pris contact avec le service ? Quoi ? Le professeur Lance leur a déconseillé de… Mais de quoi se mêle-t-il, ce vieux con ? Ah ! Ils sont venus quand même ? Oui, je comprends que ça les ait inquiétés… Redonnez-moi leur numéro de téléphone, je vais les appeler,

1. Voir *Un pour deux*, la saison précédente de *La Trilogie Twain*.

pour qu'ils ne reviennent pas sur leur décision... D'accord, je note... Quoi ? Lance ? Je m'en occupe.

Il raccroche rageusement, ouvre son ordinateur portable, se connecte à un site protégé et compose un courriel. Puis il met l'appareil en veille et sort, tout sourires, pour accueillir le patient suivant.

C'est une femme de petite taille, prématurément vieillie, au visage tordu de douleur, la tête enveloppée d'un foulard masquant une calvitie précoce. Elle s'avance en boitant, soutenue par une femme plus âgée.

— Comment allez-vous, Jocelyne ?

— Ah, ma fille va très mal, docteur, répond la femme âgée en aidant la malade à s'asseoir. Vraiment très mal. Et elle ne voulait pas que je vous en parle, mais ce nouveau traitement, testé dans votre service, j'aimerais bien qu'elle le reçoive. Vous croyez que c'est possible ?

Le docteur Mangel prend un air grave et une profonde inspiration. Puis, hochant la tête avec compréhension :

— Écoutez, je ne peux rien vous promettre, car le nombre des patients à qui nous pouvons donner ce traitement est limité ; vous savez combien l'administration est inhumaine... Mais, *pour vous*, je vais faire tout mon possible...

204

PROTOCOLES

Pour produire des résultats interprétables et concluants, tout essai clinique de médicament doit répondre à un certain nombre de critères précis.

A. Critères scientifiques

Un groupe « contrôle » composé de patients ne recevant pas le traitement étudié est indispensable. Il permet de comparer l'efficacité du traitement expérimental à un traitement inactif (placebo), à un traitement déjà connu, ou aux deux.

Composition des groupes

Tous les groupes doivent être composés de patients d'âge, de sexe, de taille, de poids comparables et dont la maladie présente des stades d'évolution identiques. Ainsi, les différences observées en fin d'essai seront attribuables aux seuls traitements.

Randomisation/tirage au sort

La répartition des patients doit être effectuée par tirage au sort. Ce qui signifie que ni les patients participant à l'essai, ni les médecins qui l'organisent ne peuvent décider à quel groupe un patient particulier sera affecté.

Aveugle/Insu

Afin de ne pas induire d'effets secondaires ou des interprétations erronées, il est préférable que pendant toute la durée de l'étude, patients et médecins ignorent qui reçoit le traitement expérimental et qui reçoit le traitement de référence ou le placebo. Quand le patient ignore quel traitement il reçoit tandis que le médecin le sait, on parle de « simple aveugle ». Quand patient et médecin l'ignorent tous deux, on parle de « double aveugle » (ou « double insu »). À la fin de l'essai (ou si le patient « sort de l'essai » en raison d'un effet secondaire sérieux ou de son décès, par exemple), les organisateurs de l'essai révèlent la répartition. Les effets du traitement expérimental sur les patients l'ayant reçu sont comparés aux effets du traitement de référence (ou à l'évolution de la maladie chez les patients sous placebo).

Étude ouverte

Lorsque le patient et l'expérimentateur connaissent tous deux l'appartenance au groupe, on parle d'*étude ouverte*. Les critères d'inclusion dans une étude ouverte sont différents des critères d'inclusion dans un essai contrôlé. Il peut se révéler contraire à l'éthique, en effet, de constituer un groupe « placebo » pour tester un traitement proposé à des patients en phase terminale d'une maladie mortelle.

B. Critères éthiques

Le respect de critères éthiques est indispensable à la conception et à la mise en œuvre d'un essai clinique.

Les patients participants aux essais doivent être volontaires et parfaitement informés des conditions, des objectifs et de la chronologie de l'essai ; ils doivent donner leur consentement éclairé à l'inclusion dans l'essai. Ils doivent être avertis de tous les risques éventuels, que ceux-ci soient liés au(x) traitement(s) ou à l'évolution naturelle de la maladie dans le cas où ils seraient affectés au groupe placebo. Ils doivent bien entendu consentir à participer au tirage au sort et à une affectation en aveugle. Ils peuvent retirer leur consentement et sortir de l'essai à tout moment.

Chaque essai doit être piloté et supervisé par un comité d'éthique qui atteste de l'intérêt scientifique et médical de l'étude, de son rapport risque éventuel/ bénéfice attendu, de la conformité aux bonnes pratiques de la méthodologie notamment en ce qui concerne le promoteur et l'investigateur principal de l'étude ; il vérifie l'existence d'une assurance qui, le cas échéant, permettra d'indemniser les participants.

Les liens financiers entre les investigateurs et les promoteurs de l'étude, quand ils existent, doivent être clairement énoncés. Les conflits d'intérêt doivent être proscrits, sous peine de biais susceptibles de rendre caduques toutes les conclusions de l'essai.

Le comité doit veiller tout particulièrement à ce que, eu égard à la restriction des ressources et au nombre limité d'investigateurs et de centres susceptibles de mener des essais cliniques, les études effectivement entreprises ne soient pas susceptibles de mobiliser ces ressources pour un résultat scientifique ou médical minime. Ainsi, il est aujourd'hui contraire à l'éthique d'effectuer des essais cliniques coûteux pour démontrer l'efficacité d'une molécule dont l'intérêt thérapeutique est discutable.

Dans certaines circonstances, les exigences scientifiques et éthiques d'un essai peuvent être assouplies lorsque le traitement étudié concerne des patients gravement malades atteints par une affection terminale, à un stade d'évolution pour lequel il n'existe aucun traitement curatif. Des protocoles dits « compassionnels » sont alors mis en place. Ils consistent à administrer, à titre exceptionnel, des traitements encore expérimentaux à des patients conscients du caractère aléatoire de ces thérapeutiques. Là encore, le patient doit donner son plein consentement et être parfaitement informé de l'avancée de sa maladie, des limites du traitement proposé, et des risques potentiels que ce dernier peut présenter – et en particulier celui de voir sa vie abrégée par un effet secondaire grave et imprévisible.

Extrait du cours d'éthique clinique,
professeur Christophe Gray, module A8006,
faculté de médecine de Tourmens, 2011

ENGAGEMENT

TéléTourmens Canal 13 :
« Power to the Pipeulz », animée par Léonard Karib

— Mesdames, mesdemoiselles, bonsoir ! Nous avons la joie d'accueillir une grande personnalité de Tourmens, connue dans toute l'Europe, la divine Sandra Lombardini. Top model réputée mais discrète, elle a été projetée sur la grande scène médiatique à la suite d'une tentative d'assassinat qui a malheureusement coûté la vie à sa jeune cousine, Cécile Milano. Depuis, Sandra s'est quelque peu détachée de sa carrière de mannequin pour s'investir dans les activités caritatives. Cette rentrée, Sandra Lombardini consacre ses efforts non pas à une mais à deux associations. Et nous l'avons invitée à venir en parler... Mademoiselle Lombardini, bonsoir...

— Bonsoir, Léonard.

— Je suis très heureux

— Là, faut savoir que Sandra devait témoigner dans un procès. Elle s'est fait remplacer par sa cousine, qui a été tuée à sa place.

— Ce qui n'était pas clair, quand même, c'est pourquoi Sandra s'était fait remplacer...

— Mais si, souviens-toi ! Esterhazy, qui a tout manigancé, voulait faire accuser sa femme, Clara !... Bon, et toi, là, ça va, tu suis ?

— Oui, ça va, ça va, je suis, laissez-moi écouter.

de vous accueillir dans notre émission, et d'abord, comment allez-vous ?

— Je vais très bien. Un peu fatiguée, mais heureuse de pouvoir venir parler à vos téléspectatrices des deux associations dont je suis marraine.

— Oui, et le plus remarquable c'est que vous... militez, en quelque sorte, pour des causes très différentes. Parlez-nous d'abord de « Donner la Vie » !

— C'est une association que j'ai cocréée l'an dernier. Elle cherche à faciliter les dons d'organes à destination des enfants. Vous savez que nous avons de plus en plus de mal à trouver des donneurs d'organes, et beaucoup d'enfants ont besoin d'une transplantation de cœur, de poumons, ou de rein. Donner la Vie se charge d'informer tous les habitants de Tourmens sur les possibilités de faire des dons d'organes, car malheureusement, aujourd'hui encore, beaucoup de gens gardent des préjugés à l'égard du don...

— Vraiment ? On aurait pu penser pourtant que les campagnes nationales touchaient l'ensemble de la population française...

— Oui, mais vous savez beaucoup de gens sont négligents, ou insouciants, ils pensent que les transplantations, ça ne concerne que les autres, alors qu'en réalité, c'est quelque chose qui peut arriver à n'importe qui : un accident, une intoxication, une infection peuvent détruire un organe important et mettre la vie en danger...

— Et quels sont les points forts de la campagne de Donner la Vie ? Je crois avoir compris que l'association propose une démarche originale...

— Oui, Léonard, c'est une démarche toute nouvelle, mais tellement *citoyenne*. Vous savez que pour toute greffe, toute transplantation d'organe, il faut que le receveur et le donneur aient des caractéristiques génétiques compatibles, afin de réduire les risques de rejet... Alors bien sûr il existe des médicaments puissants pour éviter les rejets de greffons, mais plus le donneur et le receveur ont des caractéristiques génétiques proches, plus les médicaments sont efficaces. L'idée originale de Donner la Vie est donc la suivante : lorsqu'il s'inscrit sur le fichier informatisé national, chaque donneur d'organe est invité à confier aussi un échantillon de sang qui permet d'établir sa « carte d'identité génétique ». Ces informations sont enregistrées sur une base de données spécifique et permettent, le jour venu, si le donneur a un accident grave, d'identifier au plus vite les receveurs potentiels...

— En résumé, c'est un peu comme la carte de groupe sanguin, ça accélère les choses !

— C'est exactement ça !

— Quelle belle idée ! Vous donnez beaucoup d'espoir aux familles d'enfants qui attendent une transplantation !

— Grâce à l'informatique, aujourd'hui, toutes les personnes en attente de greffe sont informées en temps réel des organes disponibles. Et Donner la Vie m'a chargée de me rendre dans les écoles et les lycées du département et de la région pour expliquer aux enfants comment faire un don de vie à une personne qui en aura besoin.

— Mais les mineurs ne peuvent pas donner leurs organes...

— Non, bien sûr, ils peuvent seulement faire un don de moelle osseuse, par exemple à un frère ou à une sœur, en cas de leucémie. Mais les enfants finissent par devenir des adultes, et plus ils connaissent tôt la possibilité de devenir donneurs, plus ils sont prêts à le faire quand ils atteignent leur majorité. Dans les lycées, en particulier, de nombreux jeunes gens viennent d'avoir dix-huit ans ou vont bientôt les avoir, et ils sont très sensibles à la possibilité de faire un don.

— Les adolescents sont très généreux...

— Oui, beaucoup plus que les adultes... Et j'ai toujours pensé que cette générosité ne devait surtout pas rester vaine, c'est pourquoi lorsque Donner la Vie m'a proposé de parrainer leur campagne, j'ai accepté immédiatement.

— Ça ne m'étonne pas de vous, Sandra, vous êtes belle, intelligente et généreuse ! Et d'ailleurs, cette campagne rencontre un grand succès, je crois ?

— Oui ! Depuis que notre opération a été lancée, il y a six mois, les inscriptions sur le registre des donneurs d'organes ont augmenté de 50 %, les dons ont augmenté de 30 % – c'est encore insuffisant mais c'est déjà très bien ! – et surtout, la masse d'informations contenues dans notre base de données a été multipliée par cent... Ce qui est très, très encourageant, bien entendu. Or, ces informations ont une grande importance, non seulement pour les transplantations, mais aussi pour le don de sang. Depuis que je suis marraine de Donner la Vie, j'ai appris que nous manquons aussi cruellement de donneurs de sang...

— Je trouve qu'il est vraiment réconfortant qu'une femme célèbre, qui pourrait rester enfermée dans sa tour d'ivoire et ses cocktails mondains se consacre à une cause aussi juste, aussi bonne. Vous aimez vraiment beaucoup les enfants...

— Oui. Je trouve insupportable de laisser un enfant souffrir, c'est pour ça que je me suis consacrée cœur-*zé*-âme à cette campagne...

— C'est merveilleux... Si, si, je vois que vous rougissez, mais je trouve ça merveilleux. Vraiment... Vraiment, vraiment. Et je suis sûr que vous ne tarderez pas à avoir des enfants vous-même...

— *(Rire.)* J'espère bien, mais ça n'est pas pour tout de suite...

— Il vous faut un père pour ces enfants, d'abord...

— Oui...

— On murmure – bien sûr je ne vais pas vous embêter avec ça si vous ne voulez pas répondre, mais je profite de vous avoir dans l'émission, vous me comprenez ? Ça ne vous ennuie pas que je vous pose une question un peu indiscrète ?

— Pas du tout *(voix langoureuse)*... Je suis là pour ça... Si c'est trop indiscret, je vous le dirai. *(Rire.)*

— On murmure, donc, que depuis le drame qui vous a frappés tous les deux, l'an dernier, Francis Esterhazy et vous-même vous êtes beaucoup rapprochés. Je me trompe ?

— Non, pas du tout, ce n'est pas un secret. Francis et moi étions déjà très amis, puisque j'étais très proche de sa femme, Clara. Et c'est à la demande de Clara que j'avais accepté de témoigner au procès WODeLuxe, l'an dernier... Je ne savais pas que cela m'entraînerait dans une histoire aussi dangereuse... qui coûterait la vie... *(Sanglots, silence de quelques secondes, puis d'une voix qui cherche à se maîtriser :)* À ma cousine... et à Clara elle-même. Évidemment, le chagrin nous a rapprochés, Francis et moi...

— Mais d'après des sources... comment dire ?... proches de la mairie, on parlerait de mariage...

— *(Rire.)* C'est très prématuré... Mais, puisque ça n'est plus tout à fait un secret... et en exclusivité pour vos spectateurs, je peux vous annoncer officiellement que Francis Esterhazy et moi sommes fiancés...

— Bravo ! Merveilleux ! Comme c'est adorable de nous confier ce scoop ! Je suis certain que nos téléspectatrices sont aux *aaaaannnnges*... Félicitations !

— Merci... merci. Mais j'aimerais que nous parlions de mon autre association...

— Oui, bien sûr bien sûr. J'allais y venir, mais la confidence que vous venez de nous faire m'a un peu coupé le souffle, et avant de parler d'une autre action de prévention, très très inhabituelle, mais qui j'en suis sûr va renforcer l'admiration de nos téléspectatrices pour vous, nous allons faire une petite pause publicitaire.

Sur des images d'adolescentes jouant au volley-ball, de femmes et de leurs filles souriantes marchant bras dessus, bras dessous dans la rue, de réunions de familles où des femmes de plusieurs générations prennent le thé et se passent des bébés, une voix déclare :

Le cancer du sein et le cancer du col de l'utérus menacent toutes les femmes. Après avoir commercialisé le vaccin Cervisafe, qui protège vos filles contre le cancer du col, la fondation WOPharma lance une grande campagne de dépistage du cancer du sein par marqueurs génétiques.

(Première femme, trente-cinq ans, face caméra :) Ma mère est morte d'un cancer du sein, ça m'a alertée sur les risques.

(Deuxième femme, soixante ans :) Quand on m'a trouvé ma tumeur, j'ai tout de suite pensé « Il faut que ma fille se fasse dépister ».

(Troisième femme, adolescente :) J'ai envie de prendre ma vie en main, et de prendre le cancer de vitesse.

Aujourd'hui, un test simple permet de savoir quel est le risque de cancer pour chaque femme et de prendre toutes les précautions afin de le prévenir.

Prenez le cancer de vitesse. Faites-vous dépister.

Fondation WOPharma pour la prévention des cancers : *http://www.preventionwopharma.com*

— ... Et nous voici de retour sur le plateau de « Power to the Pipeulz », avec notre invitée de marque, Sandra Lombardini... qui va peut-être très bientôt s'appeler Esterhazy, oui, vous avez bien entendu, ce n'est plus une rumeur, puisque Mlle Lombardini elle-même vient de nous annoncer ses fiançailles avec le dynamique député-maire de Tourmens...

(Se tournant vers son invitée :)

— Chère Sandra, merci de nous avoir confié cette exclusivité, mais vous n'étiez pas venue pour cela. Pendant la première partie de cette émission vous nous avez parlé de Donner la Vie, l'association que vous avez créée pour sensibiliser les enfants aux dons d'organes. Mais vous vous occupez d'une autre association, qui n'est pas, mais alors pas du tout destinée aux enfants... puisqu'elle s'adresse à celles qu'on appelle les « travailleuses du sexe ». Alors, cela va paraître très surprenant qu'une femme comme vous s'implique dans une campagne qui concerne des femmes qu'on pourrait qualifier de... perdues.

— Justement, j'ai eu beaucoup de chance et tout le monde n'a pas eu la même chance que moi. Quand j'étais en classe primaire et au collège, j'avais une petite camarade de mon âge, Cathy. Je l'aimais beaucoup, je parlais tout le temps avec elle, on a regardé tout *Beverly Hills* et *Melrose Place* ensemble. *(Rires.)* Je l'ai perdue de vue quand je suis arrivée en troisième parce qu'elle a déménagé dans une autre ville. Il y a six mois, pour mon anniversaire, Francis a voulu me faire une surprise en invitant toutes mes camarades de sixième. Il a été adorable, il les a toutes retrouvées, et elles sont toutes venues, sauf Cathy, qui était hospitalisée. J'étais désolée, évidemment, et le lendemain de mon anniversaire, je suis allée lui rendre visite. Elle allait très très mal, elle était en train de... *(Sanglots, silence.)*

— Elle avait une maladie très grave, n'est-ce pas ?

— Oui, elle avait le sida, et elle en est morte quelques semaines plus tard. Et le plus dramatique, c'est que la « petite Cathy », ma petite camarade de classe, avait eu une enfance difficile et beaucoup, beaucoup de malheurs ; elle avait fini par se prostituer. C'est comme ça qu'elle a attrapé cette terrible maladie...

— Et quand vous avez appris la manière dont elle était tombée malade...

— Oui, j'ai voulu faire quelque chose pour elle, mais Cathy était une jeune femme extrêmement lucide et généreuse. Elle m'a dit – je me souviendrai toujours de ses paroles, elle a pris mes mains dans les siennes et elle a dit : « Faut que tu fasses quelque chose pour toutes les filles comme moi, qui n'ont pas eu la même chance que toi. » Et c'est ce que j'ai fait. Avec sa famille, j'ai créé l'association « Nous sommes toutes des Cathy » qui a pour double mission de prévenir la transmission du sida parmi les femmes prostituées et de les aider à sortir de leur condition. Nous avons ouvert un centre d'accueil des femmes qui demandent un soutien, une ligne de SOS qui fonctionne vingt-quatre heures sur vingt-quatre, et une campagne de promotion du préservatif féminin...

— Du préservatif *féminin* ? Pardonnez mon ignorance, mais vous pouvez expliquer à nos téléspectatrices de quoi il s'agit ?

— Bien sûr ! *(Prenant sur la table basse disposée devant elle un sachet qu'elle ouvre et dont elle sort une sorte de minibas fait d'une matière translucide.)* En voici un. Ça paraît un peu rébarbatif comme ça, mais c'est très efficace, et beaucoup plus facile à utiliser que lorsqu'il faut convaincre un client de mettre un préservatif masculin !

— Oui, j'imagine... *(Rire gêné.)*

— Nous en distribuons gratuitement à toutes les femmes qui viennent demander de l'information à notre centre. Car sortir de la prostitution est une démarche difficile et souvent longue... En attendant de le faire, il faut que les femmes prostituées se protègent. Alors nous distribuons gratuitement des préservatifs féminins dans les pharmacies, à toutes celles qui en demandent, et des informations précises sur son utilisation...

— Vous nous avez parlé de votre centre d'accueil, où se trouve-t-il ?

— Ah, son emplacement est confidentiel, pour des raisons que vous comprendrez facilement. Les femmes prostituées sont souvent menacées. Les hommes qui les... qui les tiennent en esclavage, pour parler crûment, sont très dangereux. Aussi, l'emplacement du centre est gardé soigneusement secret, afin que les femmes puissent y accéder en prenant des itinéraires

90

discrets, et seulement après avoir pris contact avec les membres de l'équipe d'accueil.

— C'est une équipe importante ?

— Oui, il y a plusieurs assistantes sociales, des infirmières, des médecins. Plusieurs de mes anciennes camarades top models viennent régulièrement nous aider pour les campagnes d'information dans les collèges et les lycées, ce qui est merveilleux. Toutes ces personnes font un travail remarquable.

— Et comment une femme concernée par cette association peut-elle prendre contact ?

— Eh bien, soit par le site internet http://www.nstd cathy.com, soit par un numéro de téléphone vert...

— ... Dont le numéro va s'afficher sur votre écran... voilà !

Au premier sous-sol du Centre culturel multimédiatique Michel-Houellebecq, entre les loges des artistes et la zone d'entrepôt des décors et machineries de théâtre, dans le débarras contenant un capharnaüm indescriptible, il fait chaud et humide, grâce à l'été torride et aux matériaux isolants abandonnés là. Deux employés de mairie ont jugé bon, il y a quelques jours, de déposer là plusieurs sacs-poubelle contenant les reliefs d'un énième cocktail de pré-inauguration offert aux visiteurs de marque de Francis Esterhazy. Lesdits sacs-poubelle, que les deux employés ont abandonnés négligemment avant de rentrer chez eux à une heure avancée de la nuit, se sont éventrés sur des planches hérissées de clous. Moucherons, cafards et insectes divers convergent vers le débarras pour profiter du festin.

INVESTIGATION (1)

— Qui est-ce qui leur parle ? demande Storch en posant la main sur la double porte vitrée.

— C'est comme tu veux, *partner*, répond Goldman. Si tu préfères que je te laisse faire...

— Quelque chose me dit que ça leur sera plus facile de parler à une femme.

— Okay. C'est toi la patronne, alors. Moi, je serai le fonctionnaire-de-police-mal-dégrossi.

Véronique regarde autour d'elle pour s'assurer que personne ne les voit et pose un baiser sur les lèvres de Goldman.

— Tu feras ça très bien...

Et elle pousse la porte vitrée.

— Que puis-je faire pour vous ? demande aux deux arrivants une hôtesse aussi ravissante que souriante, vêtue d'un tailleur framboise assorti à son rouge à lèvres.

— Inspecteur Storch, inspecteur Goldman. Nous aimerions parler à l'une de vos hôtesses, Mlle Clarisse Lan...

— Clarisse est de repos, aujourd'hui. C'est à quel sujet ?

Le sourire framboise de l'hôtesse se crispe quelque peu.

— Nous aurions voulu l'interroger au sujet d'une personnalité qu'elle a... escortée il y a deux nuits, à la réception de la préfecture.

Fronçant ses jolis sourcils, Framboise se penche sur un écran.

— Avant-hier soir, Clarisse accompagnait M. Cardassian.

Les deux inspecteurs se regardent.

— Qui ça ?

— Un homme d'affaires invité par la mairie dans le cadre des journées d'échanges commerciaux…

— Vous en êtes sûre ?

— Absolument ! dit la jeune femme en tournant l'écran vers Storch.

— En tout cas, ce n'est pas avec lui qu'elle a fini la nuit…

Framboise rougit comme une pivoine.

— Je lis ici que Clarisse a guidé M. Cardassian toute la journée ; elle l'a accompagné à la préfecture et l'a quitté en milieu de soirée car elle était souffrante. M. Cardassian n'était pas très content, évidemment, mais ce sont des choses qui arrivent. Et ce que font les hôtesses lorsqu'elles rentrent chez elles ne nous regarde pas…

— Bien sûr. Vous voulez bien nous donner ses coordonnées ?

— Euh… je ne sais pas si je peux…

— Je voudrais parler à votre chef de service, dit Véronique pour couper court à ses tergiversations.

— Je vais voir si elle est libre…

Pendant qu'elle décroche son téléphone, Goldman tapote l'épaule de Véronique et l'invite à examiner les lieux. Cloisons lambrissées, mobilier ultramoderne, œuvres d'art aux murs ou dans des alcôves soigneusement éclairées, les locaux de l'AMAT – Agence municipale d'accueil de Tourmens – sont luxueux, c'est le moins qu'on puisse dire.

— On se croirait dans *Mad Men*, murmure Goldman avec une moue admirative.

— Mets tes commentaires télévisuels en sourdine, tu veux ? grommelle sa collègue.

— On est chez un maire américanophile, non ?

— Oui, mais tu es un flic inculte, tu te rappelles ?

— J'adore que les personnages de séries fassent référence à d'autres séries ! Et tu vois, Mad Men, c'est vachement bien. Ça se passe dans une agence de pub en 1961…

— Ouais. Une vraie bande de machos sexistes. Je comprends pas pourquoi t'aimes ça, Greg… Ou plutôt si, je comprends très bien…

— Très juste, concède Goldman. Dis-moi, tu connaissais l'existence de cette… officine ?

— Non. Je me doutais que le petit Napoléon soignait ses invités, mais pas si bien que ça…

— Mme Saltieri va vous recevoir, dit une voix derrière eux.

La directrice de l'AMAT est une femme d'une soixantaine d'années, ronde, accorte et surmaquillée. Son sourire est celui d'une directrice d'école primaire accueillant un inspecteur du rectorat.

— Que puis-je faire pour vous, madame... Monsieur ?...

— Inspecteurs Storch et Goldman. Nous enquêtons sur le décès de l'attaché culturel du Bas-Yafa. Nous savons qu'il a passé la nuit précédant sa mort avec l'une de vos hôtesses, Clarisse, qui en principe devait accompagner quelqu'un d'autre.

— C'est possible, répond la matrone d'un air pincé. Nos hôtesses ne sont pas tenues de rester avec les invités au-delà d'une certaine heure. Et nous ne nous mêlons pas de leur vie privée...

— Oui, votre assistante nous a déjà dit ça, dit Véronique, cinglante. Nous avons besoin de l'adresse de cette Clarisse...

— Bien sûr..., répond Mme Saltieri en se penchant vers son ordinateur. Je vous l'imprime.

— Comment recrutez-vous vos... hôtesses ? demande nonchalamment Goldman.

Mme Saltieri se redresse et croise les mains sur sa taille.

— Le processus de sélection est très strict. Ce sont toutes des jeunes femmes ayant au moins bac plus cinq ou un équivalent ; elles doivent parler couramment l'anglais et au moins une autre langue – espagnol, russe, arabe, chinois ; elles doivent être célibataires, sans enfant ni parent à charge, afin de pouvoir se libérer à tout moment ; elles doivent bien entendu être d'une moralité irréprochable...

— Bien entendu, murmure Storch. Et... Clarisse remplit toutes ces exigences.

— Comme toutes nos hôtesses, elle est issue d'une très bonne famille ! Les critères sont très stricts, comme je vous l'ai dit. D'ailleurs, monsieur le maire a chargé Mlle Lombardini de diriger le comité de sélection.

Storch et Goldman se regardent.

— Sandra Lombardini s'occupe de la sélection des hôtesses ? Depuis quand ?

— Depuis l'an dernier...

— Depuis le décès de Mme Esterhazy..., murmure Goldman.

95

— Oui, elle a proposé de le faire très gentiment et sans rémunération... Comme Mlle Lombardini et Mme Esterhazy étaient très proches, cela a beaucoup rassuré les membres du comité et les candidates...

— J'en suis sûre... Combien d'hôtesses l'agence dirige-t-elle ? enchaîne Storch.

— Entre cent et cent vingt, selon les années. Ce n'est pas un travail que ces jeunes femmes font indéfiniment. Au bout de deux ou trois ans, elles saisissent d'autres... *opportunités*.

— Fichtre, siffle Goldman. Cent à cent vingt ! N'est-ce pas beaucoup, pour une ville comme Tourmens ?

— Pas du tout. Nous recevons beaucoup d'invités de marque, et les exigences du maire sont très claires : nous devons nous efforcer de trouver l'hôtesse idéale pour chacun de nos invités. Le grand nombre d'hôtesses nous le permet.

— Et qui attribue les hôtesses aux invités ? demande Storch.

— C'est l'une de mes fonctions, répond Mme Saltieri avec une fierté parfaitement assumée. Les services de la mairie m'envoient un profil complet de l'invité et je choisis l'hôtesse qui convient le mieux parmi nos dossiers. Il y a des critères évidents comme la langue parlée, bien sûr. Mais j'accorde également une attention toute particulière à la personnalité de l'invité.

— Cela doit demander beaucoup de doigté, murmure Goldman, sur un ton admiratif.

— Je le pense aussi, rougit la directrice. D'ailleurs, depuis que je suis à la tête de l'agence, jamais le maire ne m'a fait le moindre reproche à ce sujet...

Les deux inspecteurs hochent la tête de conserve, comme pour féliciter Mme Saltieri pour ses qualités de marieuse.

— Et, bien entendu, les invités de la mairie sont toujours très satisfaits...

— *Bien entendu !* C'est pourquoi je suis désolée que ce pauvre M. Zarma ait refusé nos services... S'il avait été accompagné par l'une de nos hôtesses...

— Excusez-moi, l'interrompt Storch. Que voulez-vous dire par : « Il a refusé nos services » ?

— Eh bien, comme tous les invités qui venaient seuls au dîner du préfet, nous l'avons contacté il y a plusieurs semaines pour lui proposer de le faire accompagner par une de nos hôtesses. Mais il a décliné nos services. C'est très inhabituel...

— Ah oui ?

— Tout à fait, affirme la matrone. L'AMAT a très bonne réputation parmi les invités de la ville... De temps à autre, certains de nos invités refusent pour des raisons particulières – s'il s'agit d'hommes d'Église, par exemple –, mais en l'occurrence, M. Zarma a refusé très poliment nos services en nous disant seulement qu'il préférait se rendre au dîner seul.

— Intéressant... Et s'il avait accepté, qui auriez-vous envoyé pour l'escorter ?

— Eh bien, c'est cela qui me met le plus en colère. J'aurais certainement confié à Clarisse le soin de s'occuper de lui. Elle avait le profil idéal. M. Zarma était un homme de plume et Clarisse a fait des études de lettres... Si elle avait été en mission, elle n'aurait certainement pas... passé une partie de la nuit avec son invité. Cela dit...

— Cela dit ? reprend Goldman.

— M. Zarma avait décliné notre proposition, Clarisse ne savait donc pas que je l'avais pressentie pour l'accompagner. Je lui ai confié le dossier d'un autre invité, M. Cardassian. Évidemment, je désapprouve tout à fait son comportement ! Quitter un invité de la préfecture sous prétexte de maladie et finir la nuit avec un autre invité, c'est une faute professionnelle, mais... je ne suis pas étonnée qu'ils aient sympathisé... (Un sourire de satisfaction furtif éclaire les lèvres trop rouges de Mme Saltieri.) Clarisse est délicieuse. J'ai toujours eu un goût très sûr.

Storch et Goldman se retiennent de rire.

— Justement, Clarisse ne devait-elle pas venir vous faire son rapport, aujourd'hui ?

— Si. Je suis d'ailleurs très préoccupée. Elle devait de plus aller accueillir un hôte important en fin de matinée, mais elle n'est pas venue, elle n'a pas prévenu de son absence, et nous n'arrivons pas à la joindre. Vous ne la soupçonnez tout de même pas d'être responsable du décès de M. Zarma ? demande la directrice de l'AMAT en guettant la réaction des policiers. Mais le duo reste coi.

— Son adresse, s'il vous plaît, demande Véronique. Et son numéro de portable...

Mme Saltieri lui tend la feuille qu'elle vient d'imprimer. Véronique la lit et, prise d'une soudaine inspiration, demande :

— Avec laquelle de vos autres hôtesses Clarisse s'entend-elle le mieux ?

— Avec Bettina LeMener, certainement. Elles se connaissent depuis le lycée.

Storch lui tend la feuille.

— Rajoutez-moi donc ses coordonnées là-dessus.

Quand ils sortent de l'AMAT, Goldman se met à réfléchir à haute voix.

— Un attaché culturel célibataire refuse poliment les services d'une agence d'hôtesses réputée et, *comme par hasard*, il passe la nuit avec la jeune demoiselle à laquelle il aurait été confié. Bizarre autant qu'étrange.

— M'est avis qu'on ne va pas seulement devoir bavarder avec Mlle Clarisse, mais qu'il va falloir aussi faire parler notre ami l'attaché – ou ce qu'il en reste.

Arrivés à la voiture, Goldman sort un trousseau de clés de sa poche et le lance à Storch.

— Tu conduis ?

Véronique attrape les clés et sourit de plaisir. Il est rare que son homme lui laisse le volant quand ils enquêtent ensemble. Officiellement, c'est parce qu'elle « conduit trop mal », mais elle sait que la raison est tout autre ; l'airbag côté conducteur est défectueux et Goldman très protecteur avec Véronique depuis qu'un tueur l'a expédiée à l'hôpital, un an plus tôt.

— Est-ce que l'appartement de fonction de Zarma a été examiné par quelqu'un de la brigade ? demande Goldman une fois assis dans la voiture.

— Pas que je sache. Jusqu'ici, sa mort est considérée comme naturelle...

— Il habitait au consulat ?

— Il n'y a pas de consulat du Bas-Yafa, à Tourmens. Le seul officier consulaire, c'était Zarma. Il avait un appartement dans le vieux Tourmens.

— OK. Donc, il n'y a pas de scellés sur la porte ?

— Non. Mais on n'a pas ses clés.

Goldman se tourne vers le siège arrière.

— Si, on les a. J'ai « emprunté » son sac à nos amis de l'institut.

C'est un grand sac à dos noir, avec un compartiment à vêtements et un autre pour ordinateur et documents.

— Au 21, rue des Merisiers...

— Connais pas. C'est dans le vieux Tourmens ?

— Absolument.

— Ça va encore être la galère pour se garer...

— Pourquoi crois-tu que je te laisse conduire ? dit Goldman
en bouclant sa ceinture.

UN ENFANT PERDU

À son arrivée au cabinet médical, Marc est accueilli par des cris. Dans la salle d'attente, une femme prostrée hurle de douleur et de chagrin. Debout à ses côtés, un homme tente de la calmer du mieux qu'il peut. Autour d'eux, trois enfants se pelotonnent, mal à l'aise. C'est une famille de Manouches, et Marc devine qu'ils font probablement partie du groupe installé au bord de la Tourmente depuis plusieurs semaines. Après avoir été rejetée par plusieurs communes des alentours de Tourmens et interdite d'entrée en ville, la tribu s'est résolue, en désespoir de cause, à garer voitures et caravanes sur les rampes construites au bord du fleuve il y a quelques années pour faciliter la mise à l'eau des bateaux de la bonne bourgeoisie tourmentaise. En raison de la sécheresse qui sévit depuis plusieurs mois dans toute la région Centre-Ouest, les installations de béton sont devenues impraticables pour les plaisanciers. Depuis l'installation des Manouches, elles sont, de plus, fuies par les pêcheurs.

Marc fait entrer la famille dans son bureau. Entre deux cris de sa femme, l'homme lui explique que leur petit garçon de sept ans a disparu une semaine plus tôt. Ils sont allés déclarer sa disparition à la police, mais celle-ci n'a rien fait. Deux jours après la disparition de l'enfant, un incendie a éclaté au bord de la Tourmente non loin des installations nautiques, les obligeant à quitter leur refuge. Les gendarmes ont bien sûr interrogé toute la tribu pour savoir s'ils n'étaient pas responsables de l'incendie.

— Ils sont fous, dit l'homme en secouant la tête. Ils croient qu'on va mettre le feu près du seul endroit où on peut s'installer ? Ils nous prennent vraiment pour des idiots. Je comprends que c'est grave, cet incendie, mais not' petit, ils se sont pas occupés du tout de le chercher. L'un des policiers m'a même dit que je devrais enquêter dans la tribu. Que si ça se trouve, c'est un de mes cousins qui a pris Babik...

Marc n'en croit pas ses oreilles.

— Ils ne l'ont pas cherché ?

— Les flics de Tourmens, non. De toute manière, eux, tout ce qui les intéressait, quand on s'est installés sur leur port, là, c'était de nous faire cracher dans des boîtes en plastique pour vérifier qu'on n'avait pas la peste ou je ne sais quoi... Les gendarmes, eux, ils ont été corrects. Deux d'entre eux sont venus nous voir il y a trois jours pour nous demander des affaires du petit, mais ils ne voulaient pas nous dire pourquoi. Ils nous ont seulement dit qu'ils étaient sur une piste et qu'ils voulaient faire renifler une chemise ou quelque chose à leurs chiens. Et ce matin...

Les épaules de l'homme s'affaissent et il s'essuie les yeux avant de poursuivre.

— ... Ce matin, les gendarmes sont revenus nous dire que not' petit garçon a été retrouvé brûlé dans la forêt, que c'est peut-être même lui qui a mis le feu, pasqu'il était au milieu. Alors, vous comprenez, ma femme, il faut lui donner quelque chose parce que les gendarmes ne veulent pas nous montrer le corps de notre petit, ils disent qu'ils ont encore des analyses à faire...

— Mon petit mon petit mon petit mon Dieu pourquoi vous m'avez pris mon petit !...

La femme ne crie plus, maintenant, mais son corps est secoué de sanglots.

Désarmé devant le drame qui frappe cette famille, Marc s'interroge. Le corps que Charly Lhombre, médecin légiste titulaire, a été appelé à autopsier, l'autre jour, est probablement celui de l'enfant. Quand la famille brisée sort de son cabinet avec son chagrin et quelques comprimés de tranquillisants, la colère l'emporte sur son sentiment d'impuissance et sur la déontologie, et il compose le numéro de téléphone de l'institut médico-légal.

Mais le docteur Lhombre ne s'y trouve pas. Céline, son assistante à l'institut, lui apprend que Lhombre vient de partir pour donner des conclusions au juge d'instruction chargé de l'enquête sur l'incendie de la rive droite.

— Le juge en question, c'est Watteau[1] ?

— Oui, et c'est compliqué, car Watteau doit également instruire une autre affaire délicate. Des SDF assassinés dans les quartiers nord... À qui on a pris des organes...

— *Quoi ?*

— Oui. Plusieurs cadavres retrouvés à quelques semaines d'intervalle. Il leur manquait un ou deux reins, ou le cœur, plus rarement le foie...

Pensif, Marc raccroche. Il brûle de passer à l'action, mais il sait que les patients s'entassent dans la salle d'attente. Il décroche et appelle l'agence Twain.

C'est René qui répond.

— *What's up, doc ?* Fais vite, je dois voir le maire et je suis en retard.

— Ah, il vous a redonné rendez-vous après le lapin qu'il vous a posé l'autre jour ?

— Son assistante a appelé il y a une heure. Ça me fatigue un peu d'être à sa disposition, mais si on veut savoir ce qu'il a dans la tête...

— Oui. Bon, alors je te laisse aller.

— Non, non, j'ai cinq minutes. Tu voulais parler à Renée ?

Marc réfléchit.

— Non. Enfin, oui. Enfin, en réalité je voulais vous parler à tous les deux. Voilà. J'ai besoin de voir le juge Watteau en privé. Vous le connaissez ?

— Non, mais c'est un ami de Diego.

— Ah, oui... Diego.

Marc hésite. Diego Zorn dirige la grande librairie de l'avenue Magne. C'est un ami intime de Renée. Très intime.

— Tu crois que ça ennuierait Renée que je passe par Diego pour avoir un rendez-vous avec Watteau ?

---

1. Jean Watteau, juge d'instruction à Tourmens, est avec Charly Lhombre l'un des personnages principaux de trois romans noirs : *Touche pas à mes deux seins* (2001), *Mort in Vitro* (2003) et *Camisoles* (2006).

Il entend René hésiter au téléphone, il croit le voir sourire. Et c'est une autre voix qui répond.

— *Que tu passes par lui, ça me pose pas de problème. Tant que tu ne lui passes pas* dessus...

— Ah, t'es là ?

— *Oui.*

— Oui, elle est là, soupire son frère. Elle tenait absolument à voir Esterhazy, elle aussi. Ça la gêne pas que je doive dépenser deux fois plus d'énergie pour faire face à ce tordu *et* pour faire bonne figure. Enfin, je veux dire : pour garder *ma* figure même si tu bous de prendre le volant, *Sis'* !

La voix de Renée enfle.

— *Tu y arrives très bien quand tu es avec Li...*

— Holà ! les jumeaux, s'écrie Valène. Je voulais pas rallumer la guerre civile. Pour aller affronter Fantômas, il va falloir vous calmer.

La dispute s'interrompt aussi vite qu'elle a commencé, par un rire.

— *Fantômas ? Qui est Fantômas ?*

— Je t'expliquerai, dit René.

— Je vous laisse, lance Marc. J'irai voir Diego après mes consultations. À plus tard.

— Okay'*kay*, Doc*Lover*.

En raccrochant, Marc se marre en pensant aux jumeaux en costumes de Juve et Fandor. Puis il ouvre le vieil annuaire posé sur son bureau et compose le numéro de la librairie Shogun.

205

NOËL EN SEPTEMBRE

L'enveloppe blanche, toute simple, sans fenêtre, n'a aucune particularité ; elle porte le nom de sa destinataire en lettres imprimées. Lorsque Mme Doutremont la découvre dans la boîte, elle s'étonne. Ça n'a pas l'air d'être une publicité, et qui pourrait donc lui écrire ? Elle n'aime pas les lettres. Elle voit mal, elle a toujours lu avec difficulté et, depuis quelques années, chaque fois qu'une lettre portant son nom arrive dans sa boîte, c'est pour lui annoncer une catastrophe ou lui réclamer de l'argent. Elle aimerait ignorer ce que le facteur lui apporte, mais Armelle, la gentille jeune femme qui tient la boutique d'écrivain public au coin de la rue, lui a déconseillé de le faire.

— Quand vous recevez une enveloppe bizarre, madame Doutremont, si vous ne savez pas d'où ça vient, venez me la montrer, lui a-t-elle gentiment proposé.

— Oh, je ne veux pas vous déranger, ma petite Armelle, lui a répondu la vieille dame.

— Mais vous ne me dérangerez pas. Vous passez devant ma boutique chaque fois que vous allez faire vos courses. Venez quand vous voulez.

— Vous êtes sûre ?

— Puisque je vous le propose ! a répondu Armelle.

Armelle est adorable. Plusieurs voisins âgés de Mme Doutremont font régulièrement appel à elle pour les aider à répondre à des courriers officiels ou à faire leur déclaration d'impôts. Jocelyne, la belle-fille de Mme Doutremont, s'occupe

107

le plus souvent de ses papiers, mais elle habite de l'autre côté de la ville, et ne vient lui rendre visite qu'une fois par mois. Or, elle est passée la semaine dernière. La vieille dame ne va pas la faire revenir. Mais cette enveloppe l'inquiète. Elle est... épaisse.

— Allons, se dit Mme Doutremont, je peux bien demander ça à Armelle.

Elle se sent d'attaque, aujourd'hui. Il fait beau, elle a bien dormi et depuis que les ascenseurs de la tour fonctionnent de nouveau, sa hanche la fait beaucoup moins souffrir. Bon, elle n'avait que trois étages à gravir, mais à soixante-dix-neuf ans...

Quand elle arrive en trottinant devant *L'Écrivaine Publique*, la minuscule boutique d'Armelle, la jeune femme est déjà en grande conversation avec des personnes que Mme Doutremont connaît de vue : deux habitants de son immeuble. La vieille dame se dit que ce n'est peut-être pas le moment de la déranger, mais à travers la vitrine, elle voit que les deux visiteurs tiennent dans leurs mains des enveloppes identiques à la sienne. Ils ont l'air très agités.

— Mon Dieu ! se dit Mme Doutremont ! Je sais ce que c'est. Les lettres viennent de la mairie ! On nous met dehors ! On va me chasser de mon appartement !

Affolée, elle entre dans la boutique.

— Mon Dieu mon Dieu, Armelle, dites-moi que ce n'est pas vrai ! On ne va pas nous obliger à partir de chez nous !

— Quoi ?

La jeune femme se lève et vient à sa rencontre.

— L'enveloppe ! s'exclame Mme Doutremont. Regardez, Armelle ! Moi aussi j'en ai reçu une ! Qu'est-ce que je vais devenir ? Mon fils et ma belle-fille ne peuvent pas me prendre chez eux, ils ont à peine la place pour leur fille handicapée. Comment je vais faire ?

Incrédule, Mme Doutremont voit un sourire éclairer le visage d'Armelle et des deux colocataires.

— Ce n'est pas une lettre d'expropriation, Éloïse. Asseyez-vous, dit la jeune femme en lui approchant une chaise. Regardez.

Elle déchire l'enveloppe et en sort une feuille de papier blanc soigneusement pliée autour d'une liasse de billets de cent euros. Il y a là plus de billets que la vieille dame n'en a jamais vu en une fois. Elle lève les yeux. Dans les mains des deux voisins eux aussi, les enveloppes contiennent des billets.

Sans comprendre, Mme Doutremont regarde de nouveau la feuille blanche. Elle porte deux mots, qu'elle sait lire depuis qu'elle est petite fille :

« Joyeux Noël ».

LE CHOIX DE RENÉ

Sur le grand écran, le présentateur du journal de midi de TéléTourmens arbore un sourire inhabituel.

« Comme tous les journaux d'information, celui-ci est le plus souvent consacré à l'annonce de mauvaises nouvelles. Car, malheureusement, celles-ci ne manquent pas. Pourtant, depuis quelques semaines, la population la plus défavorisée de Tourmens semble bénéficier d'une aide tombée du ciel. Après la réparation aussi imprévue qu'inexplicable des ascenseurs de plusieurs tours par une société fantôme, les habitants les plus démunis du quartier – personnes âgées, handicapés, SDF – auraient trouvé dans leurs boîtes à lettres – ou sur les boîtes en carton qui leur servent d'abri précaire – des enveloppes contenant chacune trois mille euros en petites coupures. Nous livrons cette information au conditionnel, car notre envoyé spécial dépêché sur place n'a pas été en mesure de voir de ses yeux les billets en question. Les personnes qui auraient bénéficié de cette manne ont en effet toutes refusé de s'exprimer, par peur – probablement – d'attirer l'attention du fisc, des escrocs et autres prédateurs.

« Réalité ? Légende urbaine ? Il est difficile de le savoir, mais depuis que nos journalistes ont entendu parler pour la première fois de cette distribution d'étrennes d'un genre nouveau, une toute jeune association s'est créée aux Sablonnières. Elle a pour objectif de faire revivre le quartier en facilitant le retour des habitants dans les appartements inhabités des sept tours de la zone. Cela ne devrait pas être très difficile :

110

depuis que les ascenseurs fonctionnent de nouveau, l'activité des deux commerces de proximité a été multipliée par trois, l'épicerie projette de s'agrandir, le boulanger a embauché deux apprentis et un artisan charcutier parle de s'installer dans les locaux de l'ancienne boucherie. Comment expliquer cette soudaine résurrection du quartier de l'Hospice ? Nous avons interrogé Armelle Victor, écrivaine publique et présidente de la jeune association *Le Nouveau Tourmens Nord*... »

— Qu'est-ce que c'est que ces conneries ? Vous voulez me l'expliquer ? Hein ? crache Francis Esterhazy en coupant rageusement le son.

— Je ne vois pas très bien ce que vous attendez de moi, *monsieur*..., répond René, à la fois perplexe et amusé.

Quand Anastacia Volkanova, l'assistante du maire, l'a fait entrer dans son bureau, Francis Esterhazy tournait le dos à la porte et regardait le large écran plat installé au mur.

— Asseyez-vous, Twain, a-t-il fait sans se retourner, mais en désignant du pouce les sièges installés de l'autre côté de son bureau.

René a vu tout de suite que les fauteuils en question sont placés plus bas que le siège surélevé du maire. Il s'est assis dans le canapé près de l'entrée, a croisé les jambes nonchalamment et attendu que le grand timonier de Tourmens se retourne. Anastacia Volkanova, restée debout près de la porte, l'a fusillé du regard, mais René n'a pas bougé.

Quand il se retourne, Francis Esterhazy a la surprise de voir le détective assis à l'autre bout de la pièce. Il jette à la géante blonde postée à la porte un regard interrogateur et René devine qu'il fait un gros effort pour garder son calme. Enfin, Esterhazy se lève, traverse la pièce pour venir jusqu'à lui, tend à René une main que celui-ci ne prend pas puis se met à faire nerveusement les cent pas de long en large.

— Qu'est-ce que c'est que ça ? fait-il en désignant l'écran sur lequel Armelle Victor, tout sourires, explique à l'antenne la miraculeuse renaissance du quartier des Sablonnières grâce à la bonne fortune de certains habitants et à la générosité d'un mystérieux donateur.

— Les réparations clandestines d'ascenseurs, l'argent qui apparaît comme par miracle dans les boîtes à lettres d'une centaine de vieux schnocks...

Salopard...

— Ah, tant que ça ? dit René. À raison de trois mille par personne, ça fait... Fichtre ! D'où peut donc sortir tout cet argent ? Vous croyez que Bill Gates... ?

Complètement déstabilisée par l'ironie de René, l'assistante du maire a failli tomber de ses talons hauts. Elle n'a pas l'habitude de voir un interlocuteur se payer la tête de son patron. Et a du mal à imaginer que René ne craint pas du tout le petit homme.

— Je sais très bien d'où vient ce fric, éructe le maire. Mais je ne peux pas le prouver. C'est pour ça que je fais appel à vous...

René lève un sourcil.

— Je vous écoute...

— Un homme d'affaires de mes amis a été cambriolé il y a quelques semaines à l'*Hôtel Continental*. On lui a volé trois mallettes contenant de l'argent liquide...

— Houlà ! Pas prudent, de se balader avec des espèces... Il a perdu beaucoup ?

Les mains derrière le dos tel un Napoléon grandeur nature, Esterhazy s'immobilise et scrute René avec férocité.

S'il ne nous a pas encore foutus à la porte, c'est qu'il a vraiment besoin de nous. Mais pourquoi nous ?

— Je sais que vous ne m'aimez pas, Twain. J'comprends pas bien pourquoi, mais ça m'empêche pas de respecter ce que vous avez fait.

— Vraiment ? Voyez-vous, c'est cela qui m'étonne le plus, monsieur le maire. Car tout de même, l'enquête que j'ai menée l'an dernier à la suite de la disparition de ma sœur a entraîné l'inculpation de votre épouse et son suicide...

— C'est vrai. Mais Clara avait trempé dans les trucs tordus de ce chirurgien, là... comment s'appelait-il ?

Quel faux derche ! Comme s'il pouvait oublier ça !

— Le docteur Mangel... Vous connaissez la grande famille Mangel. Bernard est professeur au CHU ; celui de votre épouse... Gérard, le chirurgien, est en prison. Leur cousin,

Jérémy, est spécialiste de cancérologie. Et je crois que j'en oublie deux ou trois autres...

Esterhazy scrute le visage de René.

Il sait *que tu te paies sa tête... Pourquoi est-ce qu'il ne dit rien ?*

Le maire reprend la parole, sur un ton inattendu.

— Clara était déprimée. C'est pour ça qu'elle s'est tuée, vous n'y êtes pour rien. Mais vous avez aidé le capitaine Roche et ses hommes à mettre en taule deux fonctionnaires corrompus et à arrêter l'assassin... enfin, l'agresseur de Mlle Lombardini...

Où veut-il en venir, bordel ?

— ... et tout ça, en tant que premier magistrat de Tourmens, je ne l'oublierai pas...

À la grande surprise d'Anastacia Volkanova, toujours debout au milieu du bureau-hall de gare, Esterhazy s'installe sur le canapé, à moins d'un mètre de son interlocuteur.

— Aujourd'hui, j'ai besoin d'un enquêteur indépendant et... incorruptible. De quelqu'un qui sache reconstituer un puzzle à partir de pièces qui semblent bien n'avoir rien à faire ensemble.

Il se penche et pose sa main sur le bras de René.

Ôte sa sale patte de là, il me donne la nausée !

— Les enfoirés qui ont réparé les ascenseurs des tours et distribué du fric comme ça, de manière... *indécente* – y a pas d'autre mot ! – à des petits vieux sont les mêmes qui ont dévalisé mon ami Shamsky. J'en suis sûr !

— Qu'est-ce qui vous fait penser ça ?

— Anastacia ! lance Esterhazy. Comme si elle sortait d'un sommeil hypnotique, la grande blonde en tailleur serré s'approche d'un pas de top model et ouvre le dossier cartonné qu'elle serrait contre sa forte poitrine. Esterhazy en sort une feuille de papier dactylographiée et la tend à René.

— Ce torchon.

Très cher Francis,

En ce moment même, grâce à l'argent sale d'un de ces pourris à qui tu aimes te frotter, le quartier nord que tu avais systématiquement cherché à détruire est en train de renaître. Ce n'est qu'un début. Et ni tes deux mille caméras de surveillance, ni les prélèvements ADN systématiques que tu infliges à la population, ni les rares flics intègres de la ville ne pourront rien y faire.

Tes belles années de malfaisance seront bientôt terminées.

Mon nom ne te dira rien, mais sache que je suis ton pire ennemi. Et que je ne te lâcherai pas.

Robin

— « Robin » ?

— C'est le nom de la fausse entreprise qui a réparé les ascenseurs des Sablonnières. Et aussi (il fait visiblement un effort pour ne pas s'étouffer)... ceux du CHU Nord.

— Ah, oui. L'entreprise Électromécanique Robin ne s'est pas seulement occupée des Tours...

Brusquement, René éclate de rire. Esterhazy le voit, stupéfait, se plier en deux et essuyer des larmes.

— « *Robin des Tours* » ! Et en plus, c'est un comique, ce garçon !

Esterhazy bondit sur ses pieds, exsangue, tandis qu'Anastacia cligne des yeux.

— Inutile de vous foutre de ma gueule ! Vous allez me trouver ce type, ou *ces* types, parce que je ne vois pas comment il aurait pu faire tout ça tout seul.

René secoue la tête et se lève.

— Je ne crois pas, monsieur le maire.

— Pourquoi donc ? demande Esterhazy, tandis qu'Anastacia lève un sourcil.

— C'est plutôt à moi de vous demander pourquoi je travaillerais pour vous... Vous avez raison, je ne vous aime pas. Et pour tout dire, je trouve cette histoire plutôt réjouissante. Je ne sais pas si l'argent qui a été volé à votre ami Shamsky est le même que celui que notre Robin des Tours distribue à la population, mais que ce soit ou non le cas, je n'ai pas la moindre raison de vous aider à l'arrêter.

— Oh, mais si, vous en avez une, *monsieur Twain*. Et je devrais dire que vous avez *tous les deux, votre sœur et vous*, une très bonne raison de le faire.

Merde.

114

— Anastacia !

Sans hâte, la grande blonde s'approche du bureau de son patron, se penche vers la souris de l'ordinateur, clique deux ou trois fois.

Sur le grand écran, René voit apparaître un plan général du Carré, devant l'hôpital nord. Au milieu de la place, parmi les SDF, René et Marc Valène s'avancent, suivis par deux hommes à la mine patibulaire, un petit et une armoire à glace. L'armoire à glace tient un pistolet.

— *Qui sont ces deux affreux ?*

— *C'est une scène de la saison dernière, ça... Le chimpanzé c'est Sturm, l'orangoutan c'est Drang. Deux flics ripoux qui ont failli assassiner René et Marc, à la fin de la première saison. Ils sont en taule à présent. Roche les a arrêtés.*

Sur l'écran, Marc se retourne, désarme Sturm avec la mallette qu'il tenait à la main et se jette sur Drang. René, lui, reste debout, immobile.

Au moment où Drang met Marc au tapis et se penche pour ramasser l'arme de Sturm, René lui donne un violent coup de pied au visage. L'image se fige sur l'écran et repart en arrière. La caméra zoome et l'image défile cette fois-ci au ralenti. Sur l'écran, le visage de René se transforme et Renée apparaît.

Crisse, René ! Ce salaud nous a filmés...

L'image se fige une nouvelle fois. La voix du maire s'élève, menaçante, tandis qu'Anastacia lève un menton hautain.

— Tu vois, mon petit Twain... à moins que ça ne soit *ma petite* ? Je sais pas exactement comment t'appeler... Tu as le choix : ou bien tu mets tes... aptitudes à mon service et tu m'aides à trouver le salaud qui sabote mes projets, ou bien je fais en sorte que tous les journalistes du pays s'intéressent à toi de près. Bien sûr, c'est pas un crime d'avoir un... *don* pareil, mais je te dis pas les emmerdements qui vont te tomber dessus quand les RG et le ministère de l'Intérieur découvriront que tu joues sur deux tableaux... En ces temps de suspicion généralisée et de peur du terrorisme, les doubles personnalités, ça énerve...

Il se lève.

— Sans compter, ajoute-t-il en se frottant les mains, le fisc, l'URSSAF et le ministère de la Santé...

Il trottine vers René et, triomphant, se plante devant lui. Derrière le maire, les lèvres serrées d'Anastacia esquissent un sourire assassin.

— Alors ? Qu'est-ce que ce sera ?

René ne répond pas. Il fait des efforts surhumains pour empêcher sa sœur d'étrangler Francis Esterhazy.

LE THÉ AU CHÂTEAU

De la route, on ne voit pas grand-chose car le domaine est entouré de hauts murs ; quand sa voiture franchit la grille, Marc entre dans un parc où se dresse un nombre impressionnant de chênes et de cèdres du Liban très certainement centenaires. En traversant cette quasi-forêt, il a le sentiment d'avoir été transporté dans une dramatique des années 60. De peur – ou dans l'espoir, peut-être – de voir le Michel Piccoli de *Dom Juan* et de *Hauteclaire* surgir à cheval, il roule au pas.

Quand la voiture arrive au bout de l'allée, un château couvert de végétation sommeille sous le soleil de la fin d'été.

Marc se gare devant le grand escalier ; à peine a-t-il eu le temps de refermer sa portière qu'une voix le hèle.

— Pouvez-vous me dire quel jour nous sommes ?

Il se retourne. Un homme grand et beau, mince et très âgé, aux cheveux et à la moustache blancs, se tient devant lui, un sécateur et une rose à la main.

— Euh... Mercredi, répond Marc machinalement.

— Merci. Quel âge avez-vous ?

Il pose cette question d'une voix tranquille mais ferme, sur le ton de celui qui veut savoir. Un fin sourire soulève les bords de sa moustache.

— Trente-huit ans...

Le beau vieillard scrute le visage de Marc avec des yeux à la fois volontaires et fatigués.

— Est-ce que vous avez grandi à Pithiviers ?

117

— Euh, non...

— Vous me rappelez un garçon que j'ai connu à Pithiviers. Mais ça devait être bien avant votre naissance... Raoul d'Andrésy, dit-il en lui tendant sa main libre.

— Docteur Marc Valène. Enchanté.

— Marc... Mmmhh. Vous êtes déjà venu ici ?

— Non. C'est la première fois.

— Ah. Alors il est bien naturel que je ne vous reconnaisse pas. Je suis désolé. Ma mémoire est mauvaise.

— Raoul !

Une femme âgée, mince et belle elle aussi, vient d'apparaître à la porte d'entrée.

— Oui ma chérie ? répond le vieillard en se tournant vers l'escalier.

— Voulez vous faire monter notre invité ?

— Ah, alors, si vous êtes invité ! Attendez, je vais vous aider, dit Raoul en prenant le bras de Marc. Cet escalier est malcommode.

Marc sourit et se laisse faire.

— Bonjour docteur Valène, déclare la vieille dame en l'accueillant en haut des marches. Merci d'être venu. Je suis Mme de Lermignat.

— Claude, ma chérie, vous êtes ravissante ce soir ! dit Raoul resté à l'extérieur.

— *Attends ! Attends ! Je les connais, ces deux-là ! Je les ai déjà vus dans un téléfilm, il y a pas longtemps...*

— *Ah ! Tu regardes* Les Enquêtes de Lhombre et Watteau *? Alors t'es pas tout à fait ignare en matière de séries...*

— *Oui, je regarde ça quand je rentre tard. Une chaîne diffuse ça à minuit et demi. Mais comment se fait-il qu'on les voie ici ?*

— *C'est ce qu'on appelle un crossover – l'apparition dans une série des personnages d'une autre série... Ce n'est possible que lorsque les scénaristes sont d'accord. Mais là, comme c'est le même qui a écrit les deux, il fait ce qu'il veut...*

— *Marrant !*

— Merci, Raoul, vous êtes adorable. Voulez-vous entrer ? J'ai fait du thé...

— Hé ! Pourquoi pas ! répond le beau vieillard en entrant à son tour. Il ôte son chapeau de paille, y jette ses gants de jardinier et tend le tout à Marc comme à un majordome posté à l'entrée d'une soirée mondaine.

— Excusez-le, s'excuse Claude en délestant Marc de son fardeau avec un sourire embarrassé. Souvent, en fin d'après midi, il se croit en 1925...

— Je comprends, murmure le médecin.

Il est fasciné par l'élégance du couple. Raoul présente son bras à Claude et l'entraîne vers un salon. La vieille dame tourne la tête vers Marc, qui lui fait comprendre qu'il les suit.

— Vous connaissez certainement le juge Jean Watteau, le fils de Claude, n'est-ce pas ? demande Raoul. Vous êtes un de ses amis ?

Il a invité Marc à s'installer dans un grand canapé, s'est assis à l'autre bout, a croisé les jambes, sorti un étui de la poche de son tablier de jardinage. Après en avoir proposé une à Marc, qui décline, il allume une cigarette.

— Euh... Non, répond Marc, mais je connais bien son meilleur ami, le docteur Lhombre. Je travaille avec lui à l'institut médico-légal.

— Ah, bien, bien ! Vous découpez des cadavres comme notre ami Charly ?

— Ça m'arrive... Je suis généraliste de campagne *et* légiste à mes heures perdues.

— Quel drôle de travail... Vous arrive-t-il de disséquer les malheureux que vous avez assassinés ?

Pendant une fraction de seconde, Marc se demande où le vieil homme veut en venir. Quand il voit les bords de la moustache blanche tressaillir, il comprend le sarcasme et éclate de rire.

— Non. C'est interdit, et c'est bien dommage : ça me permettrait de maquiller les causes du décès...

— Oui, fait Raoul, pensif. Le petit Napoléon de Tourmens, lui, n'a pas besoin de scalpel pour maquiller ses crimes...

Raoul scrute le visage de Marc et, satisfait de ce qu'il lit dans son regard, désigne successivement la télécommande posée sur la table basse et la grande télévision.

119

— Non ! Il se sert de ça ! Ça lui permet de changer de tête tous les jours. Mais c'est bien naturel : la sienne ne lui plaît pas. Alors il s'approprie celle des autres. Quelle canaille !

— Voyons, Raoul, est-il vraiment nécessaire d'assommer notre invité avec ce personnage détestable ?

Claude de Lermignat entre, poussant devant elle une table roulante sur laquelle trônent une théière fumante, trois tasses et un monceau de pâtisseries orientales.

— Il ne m'assomme pas du tout, murmure Marc.

— Ma chérie, je suis le moins assommant des hommes, vous le savez bien, déclare Raoul avec emphase. Sinon, m'auriez-vous supporté pendant...

Il s'arrête, cherche ses mots, et dans ses yeux, Marc peut lire une lueur affolée. Il décide de voler à son secours.

— ... si longtemps ?

— Exactement ! répond Raoul, ravi, en se penchant pour donner au médecin une petite tape sur la cuisse. Vous me plaisez, jeune homme.

— Merci, répond Marc, rougissant.

— Merci à vous, murmure Claude de Lermignat, reconnaissante, en versant le thé.

— C'est très gentil de m'accueillir ainsi, dit Marc au bout d'un moment. Qu'est-ce que je peux faire pour vous ? Votre fils m'a appelé...

— Et vous a demandé de passer ici, l'interrompt Claude. Mais ce n'est pas pour vous occuper de Raoul ou de moi, c'est parce qu'il ne pouvait pas vous parler au palais de justice.

— Ah bon ?

— Oui. Il a quelques raisons de penser qu'on le surveille de près en raison d'une affaire politiquement très *sensible* qu'il instruit en ce moment, et il ne voulait pas que vous y soyez mêlé.

Marc ouvre de grands yeux.

— Mais ici, vous ne risquez rien, déclare Mme de Lermignat.

— ... Car je veille ! ajoute Raoul, fièrement.

— Le juge va passer ici ?

— Non, répond la vieille dame. Mais il m'a remis quelque chose pour vous.

Elle se lève, se dirige vers le bureau ancien qui trône à l'autre bout du salon et sort d'un tiroir une grande enveloppe qu'elle rapporte à Marc.

— Vous ne pourrez pas l'emporter avec vous, mais prenez tout votre temps pour le lire.

Quand Valène les quitte, une heure plus tard, au pied de l'escalier, Raoul entoure de son bras les épaules de Claude frissonnante.

— Rentrons, ma chérie. J'ai préparé du feu tout à l'heure, comme vous me l'avez demandé.

Agenouillé devant la cheminée du salon, il gratte une seule allumette ; les bûches s'enflamment très vite. Il désigne l'enveloppe posée sur la table basse.

— Voulez-vous que je dispose de ces documents *de la manière habituelle* ?

Claude sourit.

— S'il vous plaît. Mais ne vous brûlez pas...

Raoul sort les documents de l'enveloppe et, l'un après l'autre, les lit consciencieusement avant de les offrir aux flammes.

RÉVISION

— Ça t'emmerde que je t'accompagne, hein ? demande Karim. Tu voulais pas qu'on te colle un stagiaire basané ?

Le jeune homme est assis côté passager. Au volant, Henri Thibère fait la gueule.

— Euh... je préfère travailler seul.

— Je respecte, mais si les types qui sont dans le métier depuis longtemps comme toi ne veulent pas des types comme moi, j'apprends comment ? T'as pas été apprenti, toi ?

— Si...

— Et t'aimais pas le type qui t'a formé ?

— Si, répond Henri en grommelant. Mais moi, j'ai pas besoin qu'on m'aime.

— Sur la tête de ma mère, j'te promets que j't'aimerai pas. Mais tu peux m'apprendre à réparer des ascenseurs...

— Chuis pas bon pour apprendre aux autres... Et je sais pas pourquoi t'as envie de faire ce boulot...

Karim répond immédiatement :

— Pour que ma grand-mère soit plus jamais coincée chez elle.

Henri le regarde fixement.

— Quoi ? Tu trouves ça naze ? demande le jeune homme, surpris par le silence de son aîné.

— Pas du tout. Moi aussi c'est pour ça que j'ai fait ce métier, murmure le quinquagénaire.

— Tu déconnes ?

— Ma grand-mère vivait au sixième sans ascenseur. Un jour, elle s'est cassé le col du fémur en remontant ses courses...

— Ah, quelle saloperie ! dit Karim en regardant la route.

— Le lendemain, je suis allé me faire embaucher comme aide-monteur. Elle est morte six mois plus tard, à l'hôpital, à l'époque on mettait pas de prothèses à tout le monde, mais je lui ai promis de toujours m'occuper des ascenseurs des vieilles dames comme elle...

— Bon, dit Henri en obliquant pour sortir de la rocade, d'abord, faut repérer à quel type d'installation t'as affaire. Si c'est un vieil ascenseur avec une salle des machines...

— La salle des machines ?

— Le local où se trouve le système de traction de l'ascenseur – le moteur, la poulie. En général, on l'installait sur le toit, ou juste en dessous s'il y avait la place. Aujourd'hui, beaucoup de bécanes ont leur moteur et leur armoire de commande à l'intérieur de la gaine.

— La gaine ?

— Le tube vertical dans lequel circule la cabine...

— Okay, alors on commence où ?

— Ben là on sait que l'ascenseur fonctionne. Le patron voudrait qu'on trouve ce qui ne fonctionnait pas, et ce qui a été réparé... Donc il faut tout passer en revue...

— Et qu'est-ce qui peut provoquer une panne d'ascenseur ?

— Ben ça dépend s'il s'est arrêté brusquement de fonctionner ou s'il y avait des signes avant-coureurs. Déjà, retiens bien une chose : l'ascenseur qui repart pas, c'est bien plus fréquent que l'ascenseur qui s'arrête entre deux étages.

— Ah bon ?

— Oui, la plupart des pannes sont dues à des problèmes électriques. Si l'ascenseur est entretenu régulièrement, ce ne sont pas la cabine ou les guides qui ont un problème, mais le système de commande. Il suffit d'un seul faux contact pour que la cabine veuille plus redémarrer. Et ces saloperies électroniques ça tombe en panne sans prévenir.

La camionnette entre dans la cité des Sablonnières et se dirige vers la tour n° 6.

— Bon, et alors pourquoi on nous envoie examiner un ascenseur qui *fonctionne* ? demande Karim.

— Parce qu'il devrait pas fonctionner. Il est dans une HLM, quelqu'un l'a réparé sans autorisation et ça énerve le maire, dit Henri en serrant son frein à main.

— ... et nous on énerve les gars du quartier, on dirait...

— Ah, putain ! s'exclame Henri.

Au cours de sa vie de technicien ascensoriste, il en a vu de toutes les couleurs mais là, il n'en mène pas large. Alors qu'il se gare devant la tour, leur camionnette est entourée par une dizaine de jeunes gens au visage fermé et menaçant. La plupart ont relevé la cagoule de leur sweat-shirt sur leur tête. Plusieurs ont une chaîne de vélo ou une barre de fer à la main.

— Bordel, je savais qu'on aurait des ennuis en venant dans un quartier comme celui-ci, dit-il en se tournant vers son apprenti.

— Allez, arrête de chier dans ton froc, et laisse-moi faire.

Karim sort de la camionnette. De l'habitacle, Henri le voit s'approcher d'un des jeunes gens, lui parler quelques minutes, lui donner l'accolade, une drôle de poignée de main puis revenir vers la camionnette, tout sourires, pendant que le groupe se disperse lentement.

— Viens, on y va, dit le jeune homme.

— Qu'est-ce que tu leur as dit ?

— La vérité. Qu'on vient vérifier que les réparations de leur ascenseur ont été bien faites. Que s'il y a un accident, la ville est responsable et qu'elle a intérêt à vérifier que tout marche bien. Comme ça, s'il y a un gag, ils pourront porter plainte contre la ville, pas contre un réparateur fantôme.

— Ah. OK...

— Tu vois que j'ai bien fait de venir...

— Ouaip, dit Henri en lui donnant une bourrade sur l'épaule. T'as bien fait.

Ils ouvrent la portière arrière de leur camionnette et en sortent deux énormes boîtes à outils.

Quatre heures plus tard, ils doivent se rendre à l'évidence : non seulement les ascenseurs des tours 5, 6 et 7 fonctionnent, mais toutes les pièces défectueuses ont été remplacées et tous les réglages faits au petit poil.

— C'est du travail d'artiste, dit Henri. Seulement, c'est juste *pas possible*.

— Comment ça ?

— Personne à Tourmens ne sait faire ça, en dehors des techniciens de l'ASESE. Et je les connais tous. En plus, pour certaines pièces – contacts électriques, éléments de parachute... – avec la réglementation actuelle qui nous impose de tout réviser avant 2013, c'est la folie, il y a des semaines d'attente...

— Qu'est-ce que ça veut dire ?

— Ça veut dire que les types qui ont fait ces réparations – et ils sont certainement plusieurs – ne sont pas d'ici. Et qu'ils ont beaucoup de moyens.

— Mais qui peut avoir envie de réparer *gratos* les ascenseurs de toute une cité ?

— Des types très fous. Ou très riches. Ou les deux.

Au premier sous-sol du Centre culturel Michel-Houelle-becq, dans le local situé entre les loges des artistes et la zone d'entrepôt des décors et machineries de théâtre, qui sert de débarras et dont personne n'ouvre plus la porte parce qu'elle contient un capharnaüm indescriptible, il fait chaud et humide, en cet été de sécheresse et grâce aux matériaux isolants aban-donnés là ; moucherons, cafards et insectes divers se sont rassemblés pour profiter des reliefs de petits-fours ; les moucherons, eux, ont attiré une petite araignée qui s'est installée entre la poignée de l'armoire électrique et une conduite d'eau. Elle tisse sa toile vaillamment.

206

OFF THE RECORD (2)

— Il n'est pas question qu'on travaille pour ce salopard, dit Renée.

— Vous êtes tous les deux d'accord là-dessus ?

— Non, je ne suis pas d'accord, dit son frère.

— Pourquoi ? Ça te plaît de céder à son chantage ?

— Pas du tout. Mais pour le moment je ne vois pas quoi faire d'autre. Et je préfère gagner du temps.

— Gagner du temps en bossant pour lui ? Autant pactiser avec le diable !

— Ne dis pas de bêtises. Esterhazy est un pourri, mais il n'est pas omnipotent. La meilleure preuve, c'est qu'il est venu nous chercher. Tu crois vraiment qu'il nous demanderait d'enquêter sur ce Robin des Tours s'il n'avait pas besoin de nous ?

— Je crois surtout qu'il cherche à nous baiser ! Et tu vas le laisser faire !

— Je ne le laisserai pas nous mettre en danger.

Ils se taisent brusquement. Après quelques minutes de silence, je lance :

— Où est le danger, exactement ?

— Que *voulez-vous* dire ? demandent-ils en même temps.

— Est-ce que vous tenez à ce que votre secret soit préservé ?

— Oui ! *Oui bien sûr.*

— Et ne pensez-vous pas que si quelqu'un connaît votre secret et vous demande de travailler pour lui – au lieu, tout simplement, de le révéler –, il n'a pas, lui aussi, intérêt à le préserver ?

— Mais l'idée de travailler pour lui est... *insupportable* ! s'exclame Renée.

— Personne ne nous oblige à *travailler* pour lui, dit René. On peut toujours se mettre à enquêter. Mais rien ne nous oblige à *trouver* quelque chose.

— Il voudra des résultats...

— On lui en donnera.

— Je ne comprends pas ce que tu as derrière la tête ! Si ce Robin pourrit la vie d'Esterhazy, il faut absolument qu'on lui *évite* de se faire prendre... C'est une manipulation. Ce salaud se sert de nous comme Arkadin.

Je lève un sourcil.

— Arkadin ?

— *Mister Arkadin*, d'Orson Welles. Vous ne l'avez pas vu ? demande René. C'est l'histoire d'un milliardaire qui engage un petit truand pour qu'il retrouve plusieurs acteurs de son passé... L'enquêteur n'est pas très malin, et il met du temps à comprendre qu'Arkadin lui a demandé de faire son enquête pour éliminer toutes les traces de son itinéraire criminel...

— Et vous pensez que c'est ce qu'Esterhazy attend de vous ?

— Je pense qu'un type comme lui ne s'est pas adressé à nous par hasard. Il fait appel à un enquêteur privé, en brandissant un autre motif que l'argent. Ça signifie qu'il veut garder les résultats de l'enquête secrets et qu'il veut éviter qu'on nous achète. Par conséquent, il est probable que cette histoire de réparations clandestines ne le gêne pas seulement parce qu'elle le ridiculise...

— Admettons, grommelle Renée. Mais même si on ne se fait pas acheter, on peut se faire tuer...

— Oui. On peut aussi faire notre valise et quitter la ville. Tu préfères ça ?

Elle ne répond pas.

— Dis-le-moi, insiste-t-il. Il faut que je sache. Quelle que soit la décision, on doit la prendre ensemble, comme toujours. Tu veux partir ?

— Non. J'ai un boulot ici. Tu sais bien qu'on m'a contactée pour diriger l'équipe de maquillage du prochain film de

Weisman. Dix semaines de tournage ! Tu crois vraiment que je vais avoir le temps de te laisser enquêter pour ce sagouin ?

— Tu ne vas pas bosser vingt-quatre heures sur vingt-quatre. J'irai enquêter quand tu ne seras pas au boulot.

— Et quand est-ce que je verrai Marc ? Et toi ta copine flique ? Comment veux-tu qu'on synchronise *quatre* emplois du temps ? C'est insoluble !

Je lève le doigt timidement.

— Oui ? *Oui ?*

— Hm. Je crois que vous venez de mettre le doigt sur ce qui nous réunit ici, tous les trois...

REPÉRAGES

**Saul Weisman : son prochain film se passera à Tourmens !
Une interview exclusive du *Tourmentais Libéré***

*Le cinéaste et comédien américain Saul Weisman, seul artiste
ayant remporté les trois oscars de l'interprétation, de la mise en
scène et du scénario, arrive ces jours-ci à Tourmens pour y
préparer* Sons of Time, *un film qu'il a écrit, qu'il va réaliser et
dont il interprétera l'un des principaux rôles. Le choix de notre
ville n'est pas dû au hasard puisque le récit se déroule à
Tourmens, que Saul Weisman connaît bien pour y avoir passé
une année scolaire dans une famille de la ville, quand il était
adolescent. Dès son arrivée à Tourmens, l'acteur américain a
accordé un entretien exclusif – et en français, s'il vous plaît ! – à
notre journaliste, Évelyne Bonheur.*

ÉB : Je suis très émue de vous rencontrer...

SW : *(Rire.)* Il ne faut pas ! Vous voyez bien, j'ai deux bras et
deux jambes, je suis un homme comme un autre...

ÉB : Pas tout à fait quand même ! Vous parlez un français
impeccable.

SW : Je parle pas trop mal français, grâce à ma famille
d'accueil de Tourmens... Ma *copine* Jodie Foster parle beaucoup mieux que moi...

ÉB : Parlez-nous de votre séjour ici. C'était en 1980, c'est
ça ?

SW : Oui, 80-81. J'ai été accueilli par une famille merveil-
leuse, les Molina. C'était une famille très modeste. Pour un

jeune Américain comme moi, qui vivais dans un luxe relatif, la vie avec Lise et Charles et leurs enfants était une leçon d'humilité.

ÉB : Votre famille était très aisée...

SW : Oui, mon grand-père était banquier. On peut difficilement être plus riche que ça aux États-Unis. Encore que depuis le krach de 2008, c'est moins vrai. *(Rires.)* Mais ce n'était pas un mauvais homme, il était devenu banquier pour sortir du rang, sa propre famille était très pauvre, son père était un peu le personnage que joue Henry Fonda dans *Les Raisins de la colère*, vous voyez ? Et il n'a jamais oublié ça, il ne nous a jamais – comment dit-on *spoiled* déjà ? – pourris-gâtés ma mère et moi. C'est lui qui voulait que je passe une année en France, parce qu'il regrettait de ne pas parler français couramment.

ÉB : Il était venu en France ?

SW : Oui, pendant la guerre. Il a été blessé à Omaha Beach. À l'hôpital militaire, il a été soigné par une infirmière française dont il est tombé amoureux, mais comme il ne parlait pas un mot de français, il n'a jamais pu lui « déclarer sa flamme » comme on le disait à l'époque, et il a été rapatrié aux États-Unis. Il répétait souvent que s'il avait su lui parler, il l'aurait épousée et qu'il aurait eu des enfants qui parlent français ! Alors, à défaut, il m'a envoyé ici. *(Rires.)* Et pourtant, je n'étais pas d'accord du tout !

ÉB : Vraiment ?

SW : Bien sûr ! J'avais beaucoup de préjugés avant de venir. Pour moi, la France c'était un pays sans l'eau courante, où on vous obligeait à boire du vin à tous les repas et où les filles étaient toutes très entreprenantes – et ça, ça me fichait une trouille terrible... *(Rires.)*

ÉB : Et vous avez changé d'avis en arrivant !

SW : Il m'a fallu du temps. Je voulais faire des études d'avocat, à l'époque, mais mon père pensait que c'était une mauvaise idée. Il voulait absolument que je parte pour « voir du pays », et pour que je mûrisse un peu. Il pensait que je voulais devenir avocat pour l'argent et il n'avait pas tort. Moi, je voulais être avocat pour les stars de Hollywood ! Je savais que ça rapportait beaucoup ! *(Rire tonitruant.)* Alors il m'a dit : « Je te paie tes études à condition que tu passes un an là-bas. » J'étais un très bon étudiant, mais je savais que s'il ne payait pas

133

je ne pourrais jamais m'offrir quatre ans à Yale... Alors j'ai accepté, j'ai passé les entretiens de sélection et évidemment, comme j'étais fils de banquier on m'a pris tout de suite, c'est totalement injuste... Mais j'ai eu la chance d'arriver chez les Molina ; ça a changé complètement ma... perspective. Ils m'ont accueilli comme un fils, vivre avec eux m'a fait comprendre beaucoup de choses ; j'ai vécu la victoire de la gauche avec eux, c'était un grand moment... Quand je suis rentré aux États-Unis, j'avais compris que je n'étais pas fait pour être avocat...

ÉB : Votre grand-père n'a pas été surpris ?

SW : Pas du tout. Il savait que cette année en France me ferait changer. Quand je lui ai dit que je voulais m'inscrire à l'Actor's Studio, je m'attendais à ce qu'il se mette en colère mais à ma grande surprise il m'a serré la main et il a dit : « *I'm so glad you've grown up, son.* » « Je suis très fier que tu aies grandi, fils ! »

ÉB : Je crois savoir qu'il l'est toujours...

SW : Oui, j'ai de la chance, ma famille *et* mes parents français d'adoption sont tous fiers de moi.

ÉB : Et il y a de quoi ! Je crois savoir que la moitié des revenus de votre compagnie de production subventionne des associations caritatives...

SW : Oui, j'aimerais bien donner tous les profits de la compagnie, mais si je le faisais, je ne pourrais plus produire de films ! *(Rires.)* – *[NDLR : Saul Weisman est trop modeste, voir l'encadré ci-dessous.]*

ÉB : Justement, parlez-nous de ce prochain film, *Sons of Time*, « Les fils du temps ». Pourquoi ce titre ?

SW : Je voulais qu'il ait un double sens en français, grâce au mot « fils ». D'ailleurs on a déjà réservé le titre pour la sortie en France ! *(Rires.)*

ÉB : D'ailleurs, c'est en quelque sorte un retour à votre pays et votre langue d'adoption...

SW : On peut dire ça...

ÉB : Et le sujet est très excitant ! Vous pouvez nous le résumer ?

SW : Eh bien, c'est un thriller de science-fiction qui se déroule dans notre ville, en partie de nos jours et en partie au début des années 80, à l'époque où j'ai vécu ici. Ça raconte l'histoire de Matt Axis, un *detective* américain qui revient sur les traces de son adolescence, puisqu'il a été *foreign exchange student*, lycéen d'accueil à Tourmens, comme moi, alors vous voyez, c'est un peu autobiographique. *(Rires.)* Ça se passe en 2010, trente ans ont passé et Matt revient à Tourmens pour se recueillir sur la tombe de sa *sweetheart* de lycée, Marianne, qui est morte assassinée en 1981, et pour revoir les lieux du drame. Alors qu'il se balade dans les rues du vieux Tourmens, il entre dans la librairie qu'il fréquentait quand il était lycéen et... il se retrouve projeté dans le passé, quelques heures avant que Marianne ne meure. Et bien entendu, il essaie de la retrouver pour la sauver...

ÉB : C'est une histoire follement excitante ! Vous jouez le rôle de Matt, je crois...

SW : Matt adulte, je suis un peu trop vieux pour jouer Matt adolescent ! Alors je l'ai confié à Jeremy Nome, un jeune acteur que personne ne connaît encore, mais le rôle lui va comme un gant.

ÉB : Et votre jeune sœur, Paula Weisman, joue aussi dans le film... c'est son premier rôle, je crois ?

SW : Oui, en fait elle a coécrit le film et elle le produit. Alors j'ai pensé qu'il serait drôle qu'elle joue aussi un petit rôle et qu'elle pourrait interpréter la mère de Marianne en 1981. Ce sera son premier rôle à l'écran ; elle a deux scènes seulement, elle est très intimidée, mais je suis sûr qu'elle sera parfaite.

ÉB : Elle doit vous rejoindre ici dans quelques jours...

SW : Oui, elle doit elle aussi venir en repérages, avec notre chef-opérateur et notre *casting director*, car bien sûr nous allons embaucher beaucoup d'acteurs français – à commencer par la jeune fille qui jouera le rôle de Marianne.

ÉB : Vous allez passer en revue les comédiens de tout le conservatoire d'art dramatique de Tourmens ?

SW : Absolument ! Et ceux des troupes de théâtre de la région. Paula va s'en charger avec moi ; nous n'avons que quelques jours pour le faire, car il faut rentrer à Hollywood ensuite pour achever la préproduction du film.

ÉB : Vous allez choisir les comédiens ensemble ?

SW : En tant que productrice, c'est elle qui aura le dernier mot. Nous avons coécrit le scénario ensemble et je lui fais entièrement confiance. Elle a un goût très sûr quand il s'agit des acteurs ! Meilleur que le mien ! *(Rire.)* Et elle parle français encore mieux que moi.

ÉB : Elle a vécu en France, elle aussi ?

SW : Non, elle a fait des études de littérature française à l'université de Victoria, au Canada, elle a appris là-bas. Elle est très heureuse, car c'est son premier séjour dans ce pays. Et elle avait toujours rêvé de voir la ville où j'ai passé l'une des meilleures années de ma vie... [...]

(De notre envoyée spéciale Évelyne Bonheur.)

Deux artistes engagés et généreux

Né en 1957, Saul Weisman n'est pas seulement l'un des comédiens les plus célèbres de sa génération. C'est aussi l'un des plus généreux et des plus engagés. Comme ses grands aînés Paul Newman et Robert Redford ou ses contemporains Brad Pitt et George Clooney, il distribue une grande partie de ses cachets à des associations caritatives. Toute la famille Weisman est de la même trempe : il y a quinze ans, après avoir reçu la fortune du grand-père en donation, les enfants Weisman ont créé Wise Men Care, une société commercialisant des médicaments génériques et des produits de santé naturels à très bas prix, ainsi qu'un site internet d'accès gratuit contenant une base de données et donnant des informations médicales en vingt-cinq langues. Contre toute attente, Wise Men Care a rencontré un énorme succès commercial. La société a distribué à ce jour près de cinq cents millions de dollars à des organisations caritatives du monde entier. Modeste et très discret sur sa vie personnelle comme tous les membres de sa famille, Saul Weisman fait peu parler de lui dans les médias. Quant à sa sœur Paula, dont ce sera la première visite en France, *Sons of Time* est son premier scénario pour le cinéma, mais elle a déjà publié plusieurs romans et recueils de nouvelles qui ne sont pas encore traduits dans notre langue. É.B.

RECRUTEMENT (2)

Delia pousse la poignée de la sortie de secours et court jusqu'au fond de l'allée humide. Là, elle s'appuie contre le mur en faisant un effort surhumain pour se retenir de vomir. Elle déteste vomir. Elle trouve ça dégueulasse. Plus dégueulasse encore que ce qu'elle subit ici. Mais parfois, c'en est trop, la nausée la submerge et elle a besoin de sortir pour prendre l'air, même si cet air est celui des poubelles.

Danser à poil devant un mec, s'asseoir sur ses genoux et frotter ses cuisses contre lui en l'excitant jusqu'à ce qu'il éjacule et se retrouve comme un con, le caleçon et le pantalon poisseux, puis s'en aille honteux ou titubant, tout ça ne lui faisait plus rien depuis longtemps. En principe. Mais les clients des boîtes à strip-tease ont beau se ressembler tous dans leur misère sexuelle et leur solitude, c'en est parfois trop pour elle...

Et ce soir, alors qu'elle dansait devant un presque encore adolescent – il avait dix-huit ans, le taulier a vérifié, mais sûrement pas depuis longtemps –, elle l'a soudain entendu pleurer : son père l'avait envoyé là de force pour qu'il devienne un homme et qu'il sache *enfin* s'y prendre avec les femmes...

Elle a voulu le rassurer, elle s'est penchée vers lui, elle a posé sa main sur son épaule, et elle s'est soudain rappelée qu'elle était nue, qu'elle lui collait pratiquement les seins sous le nez et que ça le laissait indifférent. Brusquement elle a compris qu'elle n'était qu'une pauvre conne et qu'elle ne parviendrait pas à consoler ce fils de bonne famille qui n'arrivait pas à avouer à ses parents qu'il était gay.

Là, c'en était trop.

Elle allait lui demander pourquoi il venait, mais s'est entendue dire *Qu'est-ce que je fous là ?* Elle s'est vivement écartée de lui, a foncé vers le vestiaire des filles, enfilé sa robe et ses chaussures, jeté dans son sac les trois ou quatre objets qu'elle apporte là le soir, elle est sortie par-derrière, pour qu'on ne la voie pas.

La nausée s'estompe un peu. Elle a posé le front sur le mur frais, ça lui fait du bien. L'odeur de pourriture qui émane des poubelles a quelque chose de presque réconfortant.

Elle se redresse enfin, et, en titubant, sort de l'allée.

Le boulevard est bruyant. Il est encore tôt, des cars de touristes s'arrêtent et déversent leurs foules devant les *peep shows* et les boîtes.

Elle se met à marcher sans savoir où elle va. Elle ne peut pas retourner réclamer sa paye du soir, ce qui veut dire qu'elle n'aura pas de quoi se payer une chambre pour la nuit. Mais elle s'en fout un peu. Elle se sent bien. C'est la première fois qu'elle a le courage de partir. Rien ne la retenait, elle n'est pas comme certaines filles qui restent coincées là par on ne sait quel amour tordu pour un mec qui les humilie, ou pour rembourser des sommes folles au passeur qui leur a fait traverser la frontière en leur promettant un travail. Elle, elle est libre. Libre de crever de faim ou de trouver un boulot de technicienne de surface ou de vendeuse dans un super s'il y en a encore. Personne n'a encore mis la main sur elle, et elle ne sait pas pourquoi. Les hommes qui fréquentent la boîte aiment la regarder danser mais dès qu'ils voient son visage, ils se détournent. Ses seins et son cul les excitent, mais ses yeux leur font peur. C'est sans doute pour ça, pense-t-elle en ricanant, que les rares fois où elle accepte de passer la nuit avec un type – quand il n'est ni trop crade ni trop désagréable – pour dormir ailleurs qu'à l'hôtel, elle s'arrange toujours pour qu'il la baise par-derrière et ne la regarde pas dans les yeux... Et, pour ça, les mecs sont toujours d'accord...

Elle marche vite, s'éloigne des boîtes et strips de la rive gauche, se dirige vers le pont. Sur la rive droite, dans l'avenue Magne, les spectateurs vont bientôt sortir des théâtres et traverser l'asphalte pour s'entasser dans les restaurants, y boire des vins fins et y manger de la *new* nouvelle cuisine. Ou alors ils monteront dans leur silencieuse voiture hybride et rentreront chez eux, à la campagne, dîner à la lueur des chandelles ou d'un feu de bois... Peut-être pas d'un feu de bois, il fait trop bon ce soir. Mais ça ne fait rien, elle va descendre l'avenue Magne à pied, se mêler aux sourires et aux bavardages. Au bout de l'avenue, la gare est ouverte toute la nuit, elle y dormira. Son sac de voyage campe en permanence dans le même casier de consigne, elle mettra un pull s'il fait trop frais.

Elle n'a plus qu'à espérer que la faim ne s'en mêlera pas.

Arrivée à la hauteur du Grand Théâtre, Delia s'arrête. De l'autre côté de l'avenue Magne, la vitrine du Shogun est illuminée. Elle aime cette librairie. Les gens qui y travaillent sont toujours souriants, adorables, à l'image du patron, un beau type d'une cinquantaine d'années au visage juvénile et au crâne rasé. Diego. C'est comme ça que ses employés l'appellent. Et ils le tutoient. Un type bien, sûrement. Et puis, elle aime les livres qu'il met en vitrine. Elle aime le salon de thé, où on ne lui pose jamais de questions quand elle reste assise pendant des heures sans rien commander en tournant une à une les pages glacées des livres d'art et de cinéma...

Au rez-de-chaussée du Shogun, dans la salle, elle voit des ombres bouger. Ce doit être ouvert encore, elle va aller s'y asseoir jusqu'à la fermeture.

Le cœur plus léger, elle met le pied sur la chaussée.

Et n'entend pas la voiture hybride arriver.

Le téléphone sonne. Sark reconnaît le numéro du portable de son correspondant au CHU et décroche.

— J'ai une cliente pour vous, dit une voix assez désagréable.

— Je vous écoute.

— Une fille qui bossait dans un strip-tease. Renversée dans la rue. Pas de famille. Donc, donneuse d'office. Elle est en coma végétatif. Je vous ai fait envoyer les prélèvements sanguins et tissulaires. Le coursier ne devrait plus tarder.

— Bien. Je m'y mets tout de suite. Si elle n'est pas infectée...

— D'après l'une de ses collègues de la boîte, qui est venue l'identifier, elle ne se prostituait pas. Et à vue de nez, elle est en pleine forme. Elle a des fractures de membres et elle a fait une hémorragie sous-arachnoïdienne, mais tous ses organes sont fonctionnels. Et elle a une paire de seins...

— Ça ne m'intéresse pas.

— Oui, oui. Je sais. Boulot-boulot.

— Boulot-boulot. Je vous rappelle dès que j'ai tout vérifié, probablement en fin de matinée. Vous n'aurez pas de mal à la garder dans un lit d'ici là ?

— Nan. Tout le monde ici est atterré de voir une aussi jolie fille dans cet état. Ils n'arrivent pas à se faire à l'idée de la débrancher. Alors, prenez votre temps. Elle ne va nulle part.

— OK. Vous avez bien fait tous les prélèvements ?

— Oui. Tout ce qu'il y a sur la liste. Et je vous envoie le bilan d'entrée. Pas la peine de tout refaire.

— Bien. J'entends le coursier sonner. À plus tard.

Sark referme son téléphone et se dirige vers l'entrée du bâtiment, où un jeune homme casqué lui remet une boîte isotherme et lui demande une signature. Une fois de retour dans son laboratoire, il ouvre la boîte, en sort les prélèvements, les prépare et, une fois que ses machines sont en marche, épluche le bilan d'entrée de la cliente admise quelques heures plus tôt en réanimation chirurgicale. Il lui semble qu'il manque quelque chose, mais il décide de laisser ça pour plus tard. D'abord, il veut voir ce que cette fille a dans le ventre.

Au fur et à mesure que les résultats de ses tests – biochimie, typage ADN, bilan hormonal, neurotransmetteurs – reviennent, l'excitation de Sark grandit. Elle a exactement l'un des profils recherchés... Il va pouvoir prévenir Mangel pour qu'elle soit transférée sans tarder à la clinique.

Le portable sonne à nouveau. C'est son correspondant du CHU.

— Elle est très bien, commence Sark. Vous allez pouvoir...

— Non. Nous avons un problème.

— Lequel ?

— J'ai appelé le labo pour vérifier qu'ils n'avaient rien oublié, et j'ai bien fait. Il y avait encore un test en attente, auquel on ne fait jamais attention parce qu'il est toujours négatif, surtout chez ce genre de fille. Mais là, pan ! C'est pas le cas. Et ça change tout, malheureusement, je suis obligée d'en parler au chef de service et quand il saura ça, il ne sera plus possible de la transférer...

— Quel est le problème ?

Quand elle lui dit de quoi il s'agit, Sark retient un cri de joie. Quelle chance insensée ! Il n'aurait pas osé espérer que ça arrive à *ce sujet-là*, précisément... Dommage pour son correspondant ! Il aurait suffi qu'il la boucle. Ou qu'il évite de faire du zèle. Pourtant, il lui rendait bien service. Et il ne coûtait pas trop cher. Mais il va falloir l'éliminer, à présent. Pas question de laisser passer le corps d'une femme dont le profil convient parfaitement. Et enceinte, par-dessus le marché !

INVESTIGATION (2)

Pierre Goldman sort un lourd trousseau de clés du sac de l'attaché culturel. Après avoir tâtonné, il déverrouille la porte de l'appartement et l'ouvre devant Véronique, qui entre, une minitorche à la main.

En voyant son amie braquer le fin rayon de lumière sur les meubles, Pierre sourit puis actionne l'interrupteur placé à dix centimètres de la porte. L'appartement s'illumine.

— Comme ça, tu verras bien mieux que nos collègues de Las Vegas...

En rougissant, Véronique range sa lampe.

— Qu'est-ce qu'on cherche ? demande-t-elle.

— Je ne sais pas encore... Qu'est-ce ce qui a incité une jolie hôtesse de la mairie à s'intéresser de près à lui.

— C'est pas à la fille qu'il faut demander ça ?

— Oui, mais tant qu'on ne remet pas la main sur elle... Je pense qu'une partie de la réponse se trouve peut-être ici.

L'appartement est petit – deux pièces – mais accueillant. Dès l'entrée, Véronique a été frappée en voyant les murs couverts de livres, du sol au plafond. Il y a même des étagères croulant sous les livres de poche dans les toilettes, la salle de bains, la cuisine. Et la chambre contient en tout et pour tout des étagères, un bureau et deux fauteuils.

— Où dormait-il ? demande Véronique.

— Probablement dans ce convertible, répond Goldman en désignant le canapé du salon. Son boulot le faisait bouger beaucoup.

— Il y a une station d'accueil pour ordinateur portable, sur son bureau. Et un disque dur externe...

— Aha ! Voyons ça.

Goldman sort l'ordinateur du sac noir, l'installe sur le bureau et branche le disque dur externe.

— Pas de mot de passe, pas de sécurité. En tout cas, ce gars-là n'était pas un espion..., remarque Véronique.

— Tu crois, vraiment ?

Il clique sur l'icône « Poste de travail ».

— Regarde.

— Eh bien ?

— Ce disque dur externe a une capacité de 500 gigas. Mais l'explorateur n'en annonce que 480 environ. Où sont passés les 20 autres ?

— Il s'est fait arnaquer ?

— Je ne crois pas...

Il insère une clé sur l'un des ports USB et lance un programme d'analyse.

— Aaaaaah... Petit malin... Il s'est fait une partition cachée...

— Comment vas-tu l'ouvrir ?

— J'ai un couteau suisse.

Il laisse le programme de décryptage ouvrir la partition cachée et se met à tapoter sur le clavier.

— Tiens, tiens...

— Qu'est-ce qu'il a mis là-dedans ? demande Véronique. Des secrets industriels ? Des manuscrits autographes volés au fonds Houellebecq de la médiathèque de Tourmens ? La correspondance inédite Houellebecq-Slezak ?

— Maaaais non, bêtassoue... C'est un dossier médical.

— Mais qu'est-ce qu'ils ont contre Houellebecq, dans cette série ?

— Chais pas, c'est un running gag... Le type qui a écrit le scénario doit avoir un compte à régler avec lui...

— Ouais, ils sont jaloux et mesquins, ces écrivains...

— Le dossier médical de qui ?

— C'est ça qui est bizarre, murmure Goldman, pensif. C'est le sien.

— Pourquoi bizarre ? Il n'a peut-être pas envie que n'importe qui connaisse ses petits problèmes...

— Attends, c'est pas le genre de dossier que remplit un médecin de famille. C'est un dossier d'essai clinique.

— De *quoi* ?

Goldman ne répond pas. Il chausse ses lunettes de presbyte et se met à lire attentivement les documents qu'il vient d'ouvrir.

— Je ne capte pas tout, il va falloir qu'on demande à notre ami Valène de nous interpréter ça mais je crois comprendre qu'il a été inclus dans une étude il y a quelques années. Un essai thérapeutique... Une génothérapie ou quelque chose de ce genre... Il est sorti de l'étude avant la fin... Il faisait partie du groupe traité... Ce qui veut dire qu'il recevait bien le traitement étudié et pas un placebo... Et il en est sorti... pour « effets secondaires autres ».

— « Autres » ?

— Oui, les effets secondaires les plus fréquents c'est le mal de tête, les vomissements ou l'envie de dégueuler, les maux de ventre... Mais là, il a eu autre chose... quelque chose de pas banal, semble-t-il. Ah, *ouch* ! Je comprends qu'il ait voulu sortir.

— Quoi ?

— Le médicament lui a collé une gynécomastie.

— Une gynéquoi ?

— Mmmhh...

— Ne me *mmmhh* pas ! C'est quoi ?

Goldman se retourne vers sa chère et tendre collègue.

— Il avait les seins qui poussaient. Ils l'ont pris en photo, regarde.

Sur l'écran du portable, un cliché montre un homme torse nu. Bien qu'il soit plus jeune et imberbe, Véronique reconnaît les arcades sévères et le nez aquilin de Frank Zarma. Son thorax arbore une très jolie paire de seins, ronds et fermes.

— C'était *quoi*, ce médicament ? demande Véronique. J'en veux !

Goldman lui prend la main et pose un baiser dessus.

— Tu as tout ce qu'il faut, ma belle...

— Je ne comprends pas. Tu as vu son cadavre comme moi. Il n'avait pas de seins, cet homme !

Au premier sous-sol du Centre Michel-Houellebecq, entre les loges des artistes et la zone d'entrepôt des décors et machineries de théâtre, un local sert de débarras ; personne n'en ouvre plus la porte car il contient un capharnaüm indescriptible, dans lequel il fait chaud et humide, et où pullulent moucherons, cafards et insectes divers.

Une petite araignée a tendu sa toile entre l'armoire électrique et la conduite d'eau. Elle en est déjà à sa sixième portée de petites araignées, car la nourriture ne manque pas. Ses filles se sont elles aussi mises au travail et les toiles s'étendent.

Un travailleur sans papiers, que l'un des contremaîtres harassés a embauché pour participer aux derniers préparatifs du gala d'inauguration, entre dans la pièce, un carton à la main. La porte s'ouvre vers l'extérieur – erreur de montage qui ne sera jamais corrigée. En entrant, le manœuvre ne voit pas les toiles patiemment tendues par les arachnides. Bien sûr, il les déchire au passage. L'un des arthropodes lui entre dans une narine, et le fait éternuer et lâcher son carton. Très en colère, il le ramasse et l'abandonne dans un coin de la pièce, sans voir qu'une bouteille en plastique tombée du carton a heurté lourdement le bord d'une planche.

207

LE MONDE EN MARCHE (2)

Tourmens-Sciences :
**Certains caractères acquis sous l'influence
de l'environnement sont eux aussi transmis
à notre descendance**

Un dogme scientifique, né après la découverte de l'ADN par Watson et Crick, veut que tous nos caractères physiques (et probablement psychologiques) soient transmis par le bagage génétique contenu dans nos chromosomes. Selon ce dogme, la couleur de nos cheveux, de notre peau et de nos yeux, l'âge de la puberté, la vitesse de vieillissement de nos organes – mais aussi la probabilité de souffrir de certaines maladies (diabète, cancer, maladies héréditaires) – seraient transmis par les gènes que nous lèguent nos parents biologiques. En revanche, les caractères acquis pendant l'existence de l'individu ne seraient pas transmissibles : si vous perdez un bras à la suite d'un accident, vos enfants nés par la suite ne naîtront pas avec un bras en moins ; si vous concevez un de vos enfants pendant des vacances aux Antilles, cet enfant ne naîtra pas bronzé, etc.

Mais depuis quelques années, plusieurs équipes de recherches affirment que certains caractères, acquis pendant la vie sous l'influence de l'environnement, pourraient tout de même être transmis par le génome.

Ainsi, une étude menée sur les survivants d'une famine aux Pays-Bas en 1945 aurait montré que non seulement les nouveau-nés conçus pendant cette famine avaient un poids

149

inférieur à la moyenne – ce qui peut se comprendre, étant donné la malnutrition de la mère –, mais que *leurs enfants* ont également eu un poids de naissance bas.

Des signaux pour les gènes malades

Cette possibilité d'une transmission acquise au cours de la vie repose sur la notion de « signaux épigénétiques ». Ces signaux – induits par une source extérieure à l'organisme considéré – auraient un effet de « commutateur » sur les cellules de cet organisme. En l'occurrence, la famine (le signal) aurait « activé » les gènes des nouveau-nés de mères affamées pour les mettre en mode « petit poids » – ce qui leur aurait permis de se développer *in utero* malgré une alimentation carencée. Ces « épimutations » auraient été conservées dans leur génome par les individus adultes et « transmises » à leurs propres descendants.

Semblables épimutations pourraient expliquer en particulier l'adaptation de certains groupes à la vie en altitude, mais aussi la résistance ou la sensibilité de certains individus à des médicaments administrés à leurs parents. Ainsi, les enfants des femmes qui, au cours des années 70, recevaient du diallylestrol (un antivomissement) pendant leur grossesse souffrent d'un vieillissement prématuré de la peau et du tissu conjonctif. En 2009, des observations menées sur la descendance de ces personnes ont montré que ces anomalies terribles se transmettent à la génération suivante... Il s'agit du premier exemple de maladie génétique transmissible induite par un médicament ; cette découverte a donné lieu à un procès retentissant mené par plusieurs centaines de familles contre le laboratoire américain qui fabriquait le diallylestrol [1].

Les médicaments de l'espoir

Au cours des quarante dernières années, les recherches menées par plusieurs fondations autour des maladies génétiques – les myopathies, en particulier – ont révélé que ces maladies sont provoquées par un codage anormal de leur ADN. Certains gènes, qui devraient favoriser la fabrication d'une

1. Voir *Diallylestrol : le dossier secret d'un scandale pharmaceutique*, de Philippe-Christian Foucras, « Polémiques », Éditions du Saule, 2010.

protéine indispensable au bon fonctionnement de la cellule, ne sont pas activés normalement. Les théories de l'activation épigénétique ont, très logiquement, fait naître l'espoir de véritables « thérapies géniques ». Des traitements spécifiques, administrés aux malades, servent aujourd'hui de « signal épigénétique » susceptible de « réactiver » le génome de leurs cellules, et de leur faire synthétiser la protéine manquante. C'est ainsi qu'en 2010, plusieurs essais pratiqués sur de jeunes patients souffrant de maladies respiratoires d'origine génétique ont montré que l'état des patients est nettement amélioré par plusieurs médicaments extrêmement prometteurs. Les patients traités ont moins de troubles respiratoires, leur consommation d'antibiotiques a baissé, leur croissance se fait plus harmonieusement. Beaucoup de ces malades, s'ils n'étaient pas traités, mourraient malheureusement avant l'âge de vingt ans. Il est trop tôt pour dire si leur espérance de vie sera allongée par ces médicaments mais tous les espoirs sont permis. Ce qui a conduit les chercheurs à s'interroger : l'allongement de leur espérance de vie va permettre à certains de ces patients d'avoir, à leur tour, des enfants. Les thérapies géniques, on le sait, ont modifié leur génome – c'est ce qui a permis d'améliorer leur état de santé. Mais cette « réparation » sera-t-elle transmise aux enfants qu'ils concevront *après* avoir reçu leur traitement ?

Des recherches toutes récentes donnent à penser que la réponse est peut-être « oui ».

Un anticancéreux transgénérationnel

Le Centre de recherche en épigénétique (CREEPI) des laboratoires WOPharma vient en effet de révéler que la descendance de patientes traitées et guéries par un médicament anticancéreux, la duodécidiallylméthyline (DDCML), semble protégée contre certains types de cancers. La DDCML a été brièvement administrée, à titre expérimental, au tout début des années 80, à environ un millier de patientes dans le monde souffrant d'une forme précoce (et rare) de cancer du sein. Les résultats de ce traitement n'ayant pas été très concluants – les effets indésirables ont été nombreux et le taux de guérison faible –, ce médicament a été rapidement abandonné. Mais les 225 patientes traitées qui ont survécu à leur cancer sans recevoir d'autre traitement ont été suivies pendant vingt ans par l'équipe de recherche. Le cancer dont elles étaient atteintes ayant une origine génétique, les 39 filles des 97 patientes encore fertiles conçues à la suite du traitement ont également été suivies. Aucune d'elles n'a présenté les moindres signes de ce cancer du sein. De plus, la recherche des gènes prédisposant à ce cancer a été négative chez toutes les filles ayant accepté l'analyse d'ADN (35 sur 39).

L'analyse statistique de ces résultats est impressionnante et le laboratoire WOPharma en a tiré les conclusions qui s'imposent : la prise de DDCML à l'adolescence pourrait prévenir un cancer du sein précoce, non seulement chez les patientes génétiquement prédisposées à ce type de cancer *mais aussi chez leurs filles conçues des années plus tard.*

Les implications de cette découverte sont, on le voit, riches de promesses. Pour Bénédicte Beyssan-Barthelme, P-DG de WOPharma International, qui s'exprimera sur ce sujet dans quelques jours, à Taïwan, lors du Congrès international de l'industrie biomédicale, « la mise au point et le suivi des traitements nouveaux doit désormais prendre en compte systématiquement la carte génétique des patients. Je ne saurais trop recommander aux équipes de recherches du monde entier d'inclure systématiquement dans le bilan de leurs patients leur profil ADN. Nous avons d'ailleurs décidé de mettre sur pied une grande banque de données génétiques gratuite, destinée à faciliter les travaux des chercheurs publics et privés du monde entier »...

[...]

UN JUSTE

Le professeur Lance lit tranquillement *Le Canard enchaîné* sur le vieux canapé défraîchi de la pièce qui lui sert tout à la fois de bureau, de salle de réunion pour ses internes et de bibliothèque. Sa porte est ouverte, comme toujours quand il est seul dans son bureau ; il a en effet expliqué aux membres du personnel des urgences qu'ils peuvent à tout moment venir le chercher s'ils ont besoin de son avis, de sa coopération active en salle ou simplement de son soutien moral. Depuis qu'il a mis fin, pour raisons de santé, à toutes ses activités extérieures au service d'urgences du CHU Nord, le professeur Lance est plus disponible que jamais. On frappe au chambranle de la porte. La tête d'une infirmière apparaît. Lance lui décoche un sourire par-dessus ses lunettes de lecture. Il aime bien cette femme. Elle lui rappelle sa fille.

— Vous avez une visite, monsieur. Le docteur Mangel...

— Lequel ? Le vieux mandarin obèse ou son jeune cousin cancérologue aux dents longues ?

— Le cancéro, répond la jeune femme en se retenant de rire.

Lance pose *Le Canard* sur ses genoux et soupire.

— Le vieux, je lui aurais dit d'aller se faire voir. Mais le jeune...

Il lève les yeux au ciel et fait mine d'y lire une ligne de conduite.

— ... Vous pouvez lui dire de ma part que je l'emmerde.

153

— Ce serait avec plaisir, monsieur, mais il a soi-disant des documents officiels à vous remettre. Ça concerne le fonctionnement du service.

— *Saleté !* jure le vieux médecin. Il va encore essayer de...

Il s'arrête net en pensant qu'il n'a pas à prendre son infirmière à témoin des tracasseries administratives qu'on lui fait subir depuis de longs mois. Elle a sûrement autre chose à faire.

— Envoyez-le-moi, Muriel. Merci. Je m'en occupe.

La tête de l'infirmière disparaît. Lance plie *Le Canard*, ôte ses lunettes et s'extrait du canapé. Puis il fait trois pas vers son bureau, s'installe dans le fauteuil à roulettes, allonge les jambes, pose les pieds sur le coin du bureau et attend, les bras croisés, que le docteur Mangel apparaisse.

En entrant dans le bureau, le cancérologue grimace.

— Bonjour, dit-il du bout des lèvres.

— Quand je vous vois, il ne peut pas l'être...

— Quoi ? demande Mangel avec des yeux vides.

— Bon. Le jour. Ne vous asseyez pas, dit Lance négligemment.

Mangel regarde les deux sièges de visiteurs. Ils croulent sous des piles de livres et de revues. Il n'essaye même pas d'y toucher.

— Quel ouragan vous amène ? poursuit Lance sur un ton corrosif. Kristina ? Ike ? *Esther ?*

Mangel se raidit. Depuis qu'il a pris la tête du service de cancérologie du CHU Nord, Lance n'a cessé de le critiquer en Commission médicale consultative, et de lui reprocher ouvertement d'être un « pion d'Esterhazy ».

— C'est le ministère qui m'envoie, répond-il d'un ton hautain et méprisant.

Il essaie de poser son attaché-case sur le bureau du vieux médecin, mais celui-ci le fusille du regard. Il l'ouvre donc en l'air, maladroitement, et la moitié des papiers qu'il contient se répand par terre.

— Dépêchez-vous de les ramasser, dit Lance, on fait le ménage ici dans cinq minutes.

— Vous allez devoir me céder l'aile que je vous réclame depuis un an. Voici la lettre du directeur de cabinet du ministre.

— Des clous.

— Quoi ?

— Des clous. Des nèfles. Jamais de la vie. Faut que je vous le dise comment ? répondit Lance avec un sourire.

— Vous êtes *obligé*...

— Et comment allez-vous faire pour m'y obliger, mon bon ? Vous allez envoyer les flics ? Ils n'osent même pas mettre le pied sur le parvis à cause de toute la « racaille » qui s'y trouve. C'est bizarre, parce que moi, je le traverse à pied tous les matins et tous les soirs et non seulement je ne me fais pas agresser, mais en plus, les filles me font la bise... Alors, à moins que vous ne trouviez le moyen de me faire virer... Et vous savez combien ça sera difficile, étant donné mon statut et les particularités de notre « Hospice »...

— Oui, je sais qu'on ne peut pas vous virer... sous peine de créer une émeute dans tous les quartiers nord. Je sais aussi que c'est du chantage.

— Non, mon vieux, c'est de la légitime défense. La population de ces quartiers tient à garder les médecins qui acceptent de travailler dans ce Fort Apache et de les soigner pour un salaire de misère. Alors, elle les bichonne. Jalousement. Et ça arrange la ville, qui n'a pas envie de voir la moitié des miséreux de la zone nord débarquer dans leur bel hôpital de l'autre rive. Donc, vous voyez, vous êtes coincé. Votre section de chimio expérimentale, il va falloir que vous l'installiez ailleurs que chez nous...

— Vous n'avez pas le droit ! s'écrie Mangel. Vous n'avez pas le droit de dissuader les patients de s'adresser à moi, c'est anti-déontologique !

— La déontologie m'impose de protéger les patients contre les traitements expérimentaux non éprouvés. Leur déconseiller d'aller se fourrer dans vos pattes, c'est parfaitement conforme à la déontologie. Mais je reconnais que c'est tout à fait anticonfraternel. Enfin, pour être parfaitement juste, c'est « fraternel » envers les patients et « anticon » en ce qui vous concerne...

De rage, Mangel jette le document officiel sur le bureau de Lance.

— Je n'en ai pas fini avec vous, Lance.

— Je le regrette vivement, mon ami. Car vous me cassez les couilles ! Heureusement, je constate que c'est réciproque et quelque chose me dit que les vôtres sont beaucoup plus sensibles que les miennes. Il faut dire (ajoute-t-il en désignant ses chaussures posées sur le bureau) que j'ai de plus grands pieds que vous. Bonne journée.

Quand Mangel sort du bureau, Lance pavoise. Au bout de quelques minutes, son sourire triomphant laisse place à une moue de tristesse. Il n'est pas naïf. Il sait que personne n'est immortel. Et, comme souvent quand il est d'humeur maussade, il se met à penser à sa fille. Il aimerait bien la revoir avant de mourir.

RECRUTEMENT (3)

Transcription enregistrement audio :
Lundi 16 septembre – AMAT, salle de projection, 22 h 45

[...]

(Voix du présentateur :) — Comme vous le constaterez grâce au *timecode* en bas de l'écran, les trois jeunes femmes sont arrivées presque simultanément à l'AMAT et ont dit pratiquement la même chose à l'hôtesse d'accueil : « J'ai lu l'offre d'emploi dans *Le Tourmentais...* » ou quelque chose du même genre. Elles avaient toutes bien noté l'heure à laquelle on demandait aux candidates de se présenter.

(Voix d'homme 1 :) — C'est bien d'être ponctuel...

(Voix de femme 1 :) — Trois candidates, ce n'est pas beaucoup...

(Voix du présentateur :) — Les critères de recrutement indiqués dans l'annonce sont très stricts, nous ne tenons pas à attirer des femmes qui ne seraient pas faites pour ce travail. Pour chaque session de recrutement, nous avons en général entre trois et six candidates, pas plus. Lorsqu'il n'y en a qu'une ou deux, nous leur demandons de revenir à la session suivante, pour procéder à une observation comparative sur un groupe suffisant...

Ici, nous voyons l'hôtesse les faire asseoir ; bien entendu, dans la salle d'attente, on procède à plusieurs mesures biométriques : taille, poids, caractéristiques physiques. De plus, les fauteuils sont équipés de capteurs de phéromones et d'un système qui permet de mesurer leurs constantes de base bioélectriques au repos et sans témoin : rythme cardiaque, pression artérielle, température corporelle, glycémie, sodium et chlore dans la sueur, etc.

Quelques instants plus tard, la directrice les accueille et les fait asseoir, toujours sur des chaises spécialement équipées. Pendant une dizaine de minutes elle les interroge à tour de rôle sur leur famille, leur état de santé, leurs études, leurs emplois précédents, leurs aspirations et leurs projets futurs. Questions et réponses sont bien sûr mises en relation avec les mesures bioélectriques. La directrice remet ensuite à chacune un questionnaire d'une quinzaine de pages en leur demandant de le remplir soigneusement puis les conduit dans une petite pièce aux murs blancs, très bien éclairée et un peu trop chauffée au goût des candidates, qui retirent leur veste ou leur pull pendant la bonne heure qu'il leur faut pour répondre aux questions...

Une heure et demie plus tard, les candidates sont conviées à prendre une collation dans un salon où trône le buffet le plus riche qu'elles aient vu de leur vie... Ce jour-là, la première – la brune, à droite de l'écran – s'est précipitée sur les poissons et les salades, et elle a englouti plusieurs tranches des divers gâteaux au chocolat ; la deuxième – la blonde, au milieu – a pris du foie gras à trois reprises et goûté à peu près à tous les fromages mais n'a touché à aucun mets sucré ; la troisième – la rousse, à gauche – s'est gavée de petits-fours, de fruits et de pâtisseries. Elles ont toutes bu du vin. C'est la brune qui s'y connaît le mieux : elle a fait goûter les meilleurs – l'yquem, le margaux – aux deux autres.

On leur a ensuite demandé de se choisir une tenue... On les voit ici sortir du dressing. Les séquences d'essayage n'ont pas été incluses dans ce montage, mais elles figurent sur le DVD...

(Voix d'homme 2, très intéressé :) — On leur a proposé de se choisir des sous-vêtements ?

(Voix de femme 2, sèchement :) — Concentrez-vous sur ce qui se passe ici, voulez-vous ?

(Voix d'homme 2 :) — *[Inintelligible.]*

(Le présentateur :) — À présent, on les voit s'installer dans le salon de maquillage pour se préparer à rencontrer un invité dont les caractéristiques leur ont été décrites verbalement...

(Voix de femme 1 :) — Elles ne voient pas sa photo ?

(Le présentateur :) — Non. Leur réaction en découvrant leur « invité » fait partie du test.

(Voix d'homme 2 :) — Très bien vu, le miroir sans tain. Elles savent qu'on les observe ?

(Le présentateur :) — On le leur a dit mais elles ne savent pas que la caméra est placée derrière le miroir... Cela aussi fait partie du test : on étudie attentivement leur attitude en situation d'observation. Rappelez-vous que l'un des objectifs consiste à choisir des femmes qui seront vite remarquées par nos cibles. Vous pouvez observer ici la manière dont chacune d'elles conçoit son maquillage...

(Voix de femme 1 :) — Et vous en recrutez combien ?

(Le présentateur :) — Une dizaine par trimestre, en moyenne. Mais toutes ne travaillent pas à Tourmens. La plupart sont envoyées dans d'autres villes. L'un des critères de recrutement est l'absence d'attaches familiales.

(Voix d'homme 1 :) — Ça paie bien ?

(Le présentateur :) — *[Inaudible.]* Oui, c'est très concurrentiel... Mais c'est nécessaire, si nous voulons obtenir leur coopération inconditionnelle pendant un temps suffisamment long. En général, elles travaillent pour nous entre six et dix-huit mois. Il est difficile de les garder plus longtemps. Et l'expérience nous a montré que ce n'était pas nécessaire. Il est même préférable de les laisser partir à l'amiable quand elles le demandent.

(Voix d'homme 2 :) — Mais ne risquent-elles pas de bavarder...

(Le présentateur :) — Nous leur faisons signer une clause de confidentialité et elles savent que tout manquement leur coûterait très cher...

(Voix de femme 2, plutôt énervée :) — Ça n'a pas empêché l'une d'elles de vous fausser compagnie. *Mettez votre projecteur sur pause, quand je vous parle !!!*

— *Greg ! C'est Bunny !*
— *Qui ?*
— *Bunny ! Bénédicte Beyssan-Barthelme. La patronne de WOPharma. Une vraie harpie !*

159

(Le présentateur, très embêté :) — Oui, madame... Euh... pour l'escorte disparue... c'est la première fois que ça arrive. Et la dernière. Nous ne savons pas ce qui s'est passé...

— *Et une bouffeuse de roustons...*

— *Comment vous savez ça ? On ne les voit pas !*

— *Quand on connaît le personnage[1], on reconnaît sa voix entre mille...*

(Voix d'homme 2 :) — Les femmes sont souvent imprévisibles, vous devriez le savoir...

(Voix de femme 2 :) — Ce commentaire est totalement déplacé, *[nom censuré]* ! Surtout en ma présence.

(Voix d'homme 1, obséquieuse :) — Toutes mes excuses, madame... Je voulais seulement dire...

(Voix de femme 2 :) — Je sais très bien ce que vous vouliez dire, et vous pouvez vous le mettre où je pense. *(Au présentateur :)* Alors, où en êtes-vous, avec cette... Clarisse, c'est ça ?

(Le présentateur :) — C'est ça... Nous ne l'avons pas encore localisée, madame, mais ça ne saurait tarder...

(Voix de femme 2 :) — Comment se fait-il que vous ne l'ayez pas encore retrouvée ? Elle n'a pas d'implant ?

(Le présentateur :) — Si, mais il faisait partie du lot de dispositifs défectueux que...

(Voix de femme 2 :) — Bordel de merde ! Et il fallait que ça tombe sur elle !

(Voix d'homme 1 :) — C'est quoi, cet implant, chère amie ?

(Voix de femme 2 :) — Expliquez-lui, mon petit...

(Le présentateur :) — C'est un dispositif conçu à partir de notre implant contraceptif, le « LoveRod ». La plupart des femmes en ont entendu parler dans la presse, elles savent qu'il est très pratique et parfaitement toléré ; quand nous proposons aux escortes de leur insérer gratuitement pour leur faciliter la vie...

(Voix de femme 1, enthousiaste :) — Je confirme ! Pas de règles, pas de SPM, pas de migraines, pas de grossesse. Le rêve ! Je ne comprends pas qu'il n'ait pas encore conquis le marché !

---

1. « Bunny » est pour les héros tourmentais ce que Blofeld est à James Bond. Elle a déjà sévi dans *Mort in Vitro*, *Camisoles* et *Le Numéro 7*, trois séries produites par Winckler, Ink...

(Voix de femme 2, tout miel :) — Donne-nous encore un peu de temps... Mais *(tout bas)* je ne savais pas que tu t'en étais fait mettre un...

(Voix de femme 1, tout bas :) — Depuis que j'ai pris *[nom censuré]* comme assistant...

(Rire des deux femmes.)

(Voix de femme 2, de nouveau très sèche :) — Continuez !

(Le présentateur :) — ... Elles acceptent d'autant plus volontiers qu'elles n'ont pas, en général, les moyens de se l'offrir. Ce que nous omettons de dire, c'est qu'il contient aussi une puce RFID mise au point par notre division WOTechBio. Ainsi, en principe, toutes nos escortes peuvent être localisées en permanence. Et comme l'implant est efficace pendant cinq ans et ne peut être retiré que par un de nos médecins agréés, il nous permet d'assurer leur suivi après qu'elles ont quitté l'AMAT.

(Voix d'homme 1 :) — Et si elles ne veulent pas se le faire mettre ?

(Le présentateur :) — C'est peu fréquent. Nous trouvons toujours de bons arguments pour qu'elles utilisent le LoveRod car cela les amène à consulter régulièrement un de nos médecins, et ça facilite leur suivi médical. Mais si elles refusent absolument, nous n'insistons pas, pour éviter d'attirer leur attention. Nous avons d'autres méthodes... Toutes les candidates se voient proposer la réparation par l'un de nos chirurgiens du « petit défaut » esthétique de leur choix : un grain de beauté mal placé, un tatouage qu'elles regrettent, une cicatrice... Au besoin, une retouche du nez ou des oreilles... Pour ce type de proposition, les refus sont encore plus rares... La puce est insérée au cours de l'intervention. WOTechBio a mis au point un modèle organique qui a la consistance de la peau ; elle est inrepérable au toucher. Il faut un lecteur spécial pour la localiser.

(Voix d'homme 1 :) — Chapeau ! C'est du grand art.

(Voix de femme 2 :) — Merci. Mais ça ne règle pas le problème de notre fugueuse. Comment comptez-vous la retrouver, *[nom censuré]* ?

(Le présentateur :) — Son logement, sa ligne téléphonique, ses cartes bancaires et les portables de ses deux collègues et amies les plus proches sont sous surveillance. Elle va finir par émerger.

(Voix de femme 2 :) — Ça fait déjà quatre jours qu'elle a disparu ! Où a-t-elle pu passer ? Vous connaissez beaucoup de nanas qui se volatilisent comme ça, du jour au lendemain ?

(Le présentateur :) — Euh... oui...

(Voix de femme 2, très irritée :) — QUI ?

(Voix d'homme 1, sans laisser au présentateur le temps de répondre et sur un ton moqueur :) — Celles que *vous* retirez de la circulation...

(Voix de femme 2 :) — HAHAHAHAHAHAAHAHAHA... Bon. Mon petit *[nom censuré]*, vous avez de la chance ! Monsieur le *[censuré]* vous sauve la mise pour cette fois-ci. Mais retrouvez-moi cette fille d'ici mon retour de Taïwan vendredi, sinon ça risque de chauffer.

(Le présentateur :) — Oui, madame.

(Voix de femme 2 :) — Et finissez donc votre présentation, nous avons autre chose à faire.

(Le présentateur :) — J'en ai presque terminé... Je passe rapidement sur la séance de présentation aux « invités de marque », dont le déroulement filmé est décortiqué seconde par seconde par nos psychologues-profileurs, qui examinent chaque signal corporel de part et d'autre.

(Voix d'homme 1 :) — C'est qui, les « invités » ? Des acteurs ?

(Le présentateur :) — Non, des personnels spécialement formés par notre agence de New York...

(Voix d'homme 1 :) — Ah. Cette agence qui...

(Voix de femme 2, sèchement :) — Oui. Poursuivez, mon grand...

(Le présentateur :) — À l'issue de la soirée, les candidates sont logées toutes les trois dans une suite du *Continental* et surveillées toute la nuit. Elles sont débriefées le matin suivant.

(Voix d'homme 1 :) — Qu'est-ce que vous enregistrez ?

(Le présentateur :) — Les conversations, le rythme cardiaque, le temps passé à se démaquiller, la douche, les tensions ou les fraternisations éventuelles... Bref, tout ce qui est pertinent pour permettre les meilleurs... appariements lorsqu'elles seront missionnées...

(Voix d'homme 1 :) — C'est comme Big Brother... Enfin, en l'occurrence, c'est plutôt Big Sister...

(Voix de femme 2 :) — Hahaha. Très drôle !... Parlez-nous du phéromonitorage, mon petit...

(Le présentateur :) — Eh bien pour cela je préfère passer la parole à notre expert biologiste le docteur *[nom censuré]*...

(Voix de femme 2 :) — Nous vous écoutons, docteur.

(Voix d'homme 3 :) — Des cellules épithéliales sont recueillies sur les mouchoirs en papier et les tampons de démaquillage que les candidates utilisent pendant leur séance de préparation – on leur demande de n'utiliser que la poubelle qui se trouve près de chacune d'elles... Nous faisons aussi des prélèvements sur les vêtements et sous-vêtements, bien entendu...

(Voix de femme 2 :) — Tous les parfums d'une femme sont dans sa lingerie...

(Voix d'homme 3, avec un rire nerveux :) — Les prélèvements génétiques et phéromonaux nous permettent de dresser le profil d'histocompatibilité très précis de chaque candidate...

(Voix de femme 2 :) — Et de l'associer à la cible... afin que le recueil des données concernant celle-ci soit facilité... À propos, docteur, vous avez les résultats des prélèvements de notre ami l'attaché culturel du *[nom censuré]* ?

(Voix d'homme 3 :) — Oui, madame. Je vous les ai apportés.

(Bruit de papier qui circule. Silence, puis voix de femme 2 :) — Bon travail, messieurs. À présent, si vous le permettez, *[nom censuré]* et moi-même partons dîner... Dites-moi, *[nom censuré]*, comment va *[nom censuré]* ? C'est pour quand le mariage ?

(Bruits de chaises et de portes.)

— *Tu vois ! Je le savais que c'était cette salope de Bunny !*

— *Oui, ma chérie !*

— *Moi j'ai reconnu le type qui lui faisait du gringue...*

— *Oui, lui c'est pas difficile... Il a une voix tellement vulgaire...*

(Voix d'homme 1 :) — Ah, vous regardez l'émission de ce crétin de Karib ?

(Voix de femme 2 étouffée :) — Moi, non, mais ma chieuse de belle-fille est accro...

(Fin de la transcription.)

CONSEIL DE GUERRE

Lorsque Valène arrive à l'agence Twain Peeks, c'est René qui l'accueille.

Marc lui serre la main et le regarde sans rien dire. René lui fait un clin d'œil complice.

— Désolé, murmure-t-il, je ne peux pas te « passer » Renée, on a de la visite.

— Qui ça ?

— La police.

Il traverse le secrétariat et entre dans le bureau. Roche Storch et Goldman sont assis à la table de conférence.

— Ah, docteur, lance Liliane avec un grand sourire. Nous n'attendions plus que vous.

— J'ai des informations préoccupantes, dit Marc en s'installant entre les deux femmes.

— Si ce type te fait du genou, tu me le dis, murmure Goldman à Véronique.

— Je vois que tout va bien entre vous, remarque Valène.

— Très bien, docteur, dit Véronique. Il est encore plus jaloux qu'avant.

— C'est bon signe, dit Liliane en jetant un regard appuyé à René.

— Ah bon ? s'étonne René. Je connais rien à la jalousie. Il faudra que je demande à ma sœur de m'expliquer ce que c'est, ajoute-t-il avec un sourire malin.

— Est-ce qu'elle va nous rejoindre ? demande Véronique.

Liliane et Marc regardent René.

— Non, elle est... sortie, répond celui-ci. Elle est allée proposer ses services à l'assistante de production de Saul Weisman, qui va bientôt tourner en ville. Ils ont besoin d'une maquilleuse qui connaît bien son métier.

— Et puis elle peut aussi servir de garde du corps à la vedette masculine, susurre Liliane en regardant René comme s'il était quelqu'un d'autre.

— Tant qu'elle ne le serre pas de trop près..., dit Marc, s'adressant lui aussi à Renée à travers les yeux de son frère.

— À propos, docteur, dit Liliane sur un ton aigre, quand avez-vous passé la soirée avec Renée pour la dernière fois ?

— Euh... Je ne sais plus.

— C'est marrant, moi non plus, je ne me rappelle pas quand j'ai passé pour la dernière fois la soirée avec un homme...

René soupire. Marc pose la main sur le bras de Liliane pour la calmer. Véronique et Pierre se regardent sans comprendre. Un silence gêné s'installe.

Goldman se racle la gorge.

— Vous aviez sûrement une raison urgente pour nous réunir ici, capitaine..., dit-il. On ne pouvait pas discuter dans votre bureau ?

— Je ne fais pas confiance aux murs de mon bureau, dit Roche, soudain très sombre. Je vous ai fait venir ici parce que nous devons mettre nos informations en commun. Nous ne pouvons pas agir dans un cadre officiel... On passe en revue les dernières nouvelles ? René...

— Ma sœur et moi avons été chargés par le maire en personne d'enquêter sur l'ascenso-terroriste qui lui pourrit la vie...

— Sans blague ! s'exclame Goldman. Ce type est un bienfaiteur de l'humanité. Vous n'allez tout de même pas aider Napoléon le petit à lui mettre la main dessus ?

René hésite à répondre.

— Là n'est pas la question ! coupe Liliane. Ce type...

— Robin des Tours, murmure René.

— Quel surnom ridicule ! Ce type agit dans la plus parfaite illégalité. Il était inévitable que le maire cherche à le coincer. Ce qui me pose problème, c'est qu'Esterhazy n'ait pas fait appel à *nous*.

— Il n'y a pas eu de plainte formelle de la mairie ? demande Véronique.

— Ni plainte, ni même le soupçon d'une demande d'enquête officieuse. Esterhazy s'est adressé directement à l'agence Twain Peeks.

— Il ne sait pas que vous vous connaissez ? interroge Goldman en désignant René et Liliane.

— Bien sûr qu'il le sait, dit doucement René. Et il a probablement prévu que j'allais mettre Liliane au courant. À Tourmens, il n'y a *jamais* de coïncidences. Il y a des énigmes et toutes ont leur...

— Solution, je sais, mais dans quel but est-ce qu'il vous manipule, tous les deux ? demande Marc.

— Je l'ignore. Le propre d'un manipulateur c'est de ne pas dévoiler ses batteries...

— Et pourquoi cette enquête parallèle ? insiste Liliane. Nous aurions parfaitement les moyens de mettre la main sur ce type...

— *Ces* types. Les techniciens de l'ASESE que j'ai interrogés m'ont confirmé qu'il devait y avoir toute une équipe à l'œuvre. On ne répare pas les ascenseurs d'une demi-douzaine de tours...

— Et de tout l'hôpital nord, ajoute Marc.

Les quatre autres le regardent.

— Oui ! Du jour au lendemain ! Un soir, rien ne marchait, un petit vieux a donné le téléphone des entreprises Robin à une infirmière, qui a appelé... et le lendemain tout était réparé.

— Qu'est-ce que c'est que ce souk ! s'exclame Goldman hilare. J'ai déjà entendu parler de sabotages en série, jamais de *réparations* clandestines en série...

— Je pense que pour Esterhazy, c'est bien ça le problème. Notre ami Robin des Tours le ridiculise, il sape son autorité, il décrédibilise sa boîte. Bref, il l'emmerde profondément.

— Alors pourquoi ne nous a-t-il pas mis sur le coup ?

— *Parce qu'il veut être le premier à mettre la main sur lui*, répond René avec une voix étrangement féminine.

René ferme les yeux et lève la tête au ciel.

— Pardon, j'ai une tigresse dans la gorge...

— Toujours est-il, reprend Liliane, que nous n'allons pas laisser René... et Renée mener cette enquête seuls. Nous devons mettre nos énergies en commun sans compromettre les affaires courantes.

Elle se tourne vers ses *detectives*.

— J'aimerais savoir où vous en êtes, vous deux...

— Désolé, patronne, commence Goldman sur un ton ironique (il sait que Roche déteste qu'il l'appelle « patronne »), je sais que notre ami le docteur Valène est assermenté, mais *lui* (dit-il en désignant René), je peux parler devant lui ? Vous lui faites confiance ?

Tandis que Véronique lui donne un coup de coude dans les côtes, Liliane Roche le fusille du regard.

— Bon, bon, okay, okay..., fait le policier en levant les bras comme s'il voulait se rendre. Puis il sort un ordinateur portable de son sac.

— Regardez ça, dit-il en leur montrant les photos trouvées dans l'ordinateur de Zarma. Qu'est-ce que vous en pensez, toubib ?

— Mmhhh... On voit des gynécomasties chez les hommes qui prennent certains médicaments. Et bien sûr chez les personnes transgenre, quand elles amorcent leur transformation... Les œstrogènes et les progestatifs font pousser la poitrine.

— Même chez un homme ? demande Véronique.

— *Même chez un homme*, répondent ensemble Marc et Liliane, sur un ton de gravité qui fait sursauter les deux *detectives*.

— Ce qui est curieux, bien sûr, poursuit le médecin, c'est que Zarma n'avait pas de poitrine quand il est mort. Et que sur ces photos il ne présente aucun signe d'imprégnation hormonale ou médicamenteuse. Est-ce qu'on sait quel traitement il a pris, pendant cet essai thérapeutique ?

— Ce n'est pas précisé dans les documents, répond Goldman. Apparemment, quand il a quitté l'essai, celui-ci n'était pas terminé. Il a réussi à prendre la partie du dossier qui le concernait, mais elle ne mentionnait pas le nom du médicament. Seulement un numéro.

— Bon, vu la taille des deux seins, on peut être sûrs qu'il ne prenait pas le placebo... De quand date cet essai ?

— Dix ans.

— Ça veut donc dire, si surprenant que ça puisse paraître, que ce type a reçu un traitement qui lui a fait pousser des seins et que lorsque le traitement a été interrompu, sa poitrine a disparu. Ça, c'est très très très bizarre.

— Ah bon ?

— Oui. Il arrive que des garçons aient de la poitrine, à la puberté. Et la seule solution pour qu'elle disparaisse, c'est de les opérer... Or, Zarma n'avait aucune cicatrice à cet endroit-là...

— Bon..., fait Liliane pensive. Et la fille, Clarisse, vous savez où elle est passée ?

— Non. Pas de mouvement sur ses comptes en banque, pas d'appel téléphonique, rien. Elle s'est volatilisée...

— *Without a trace...*, murmure René.

— Nous ne savons pas ce qu'elle a fait le lendemain de leur folle nuit ensemble. Ce que nous savons, c'est qu'ils n'ont dormi ni chez elle, ni chez lui – ce matin-là, il baladait un sac de voyage, et le taxi l'a chargé loin de leurs logements à tous deux.

— Allez interroger le personnel du *Continental*, dit Liliane.

— Vous croyez qu'elle avait une chambre là-bas ? demande Goldman.

— C'est là que la mairie loge ses invités. Et elle travaillait pour une officine municipale. Quant à... « Robin des Tours » et à ses joyeux réparateurs, il est hors de question que tu enquêtes seul, insiste Liliane en s'adressant à René.

— J'ai l'habitude...

— Et moi ça m'angoisse que tu bosses pour ce tordu d'Esterhazy. Si je pouvais t'accompagner, je le ferais. Véronique, vous suivrez René. C'est seulement l'affaire de quelques jours. Je ferai équipe avec Pierre, et je couvrirai votre absence.

Goldman ouvre la bouche mais Véronique répond immédiatement.

— Pas de problème. Comptez sur moi. Je ne le lâcherai pas d'une semelle.

Bordel, j'aime bien Véronique mais si on veut pouvoir permuter tranquillement, il va falloir s'en débarrasser...

— Vous êtes cerné, on dirait, ajoute Goldman mi-figue mi-raisin.

— Vous ne savez pas à quel point, mon vieux, soupire René.

— Bon, c'est réglé, conclut Liliane Roche. L'enquête officielle sur la mort de Frank Zarma et la disparition de Clarisse continue, nous remplirons soigneusement les rapports pour le juge d'instruction, mais nous suivrons officieusement l'enquête de René.

Tout le monde acquiesce d'un signe de tête, sauf Marc.

— Je profite de notre petit groupe Balint[1] d'enquêteurs pour vous soumettre... un autre souci.

Il croise les mains sur la table.

— L'incendie qui a ravagé les bois sur la rive droite...

— Il y a eu une victime, je crois, dit Liliane.

— Oui, répond Marc. Un petit garçon manouche. Du moins, c'est la version officielle.

— Comment ça ? On n'a pas retrouvé son cadavre calciné ?

— Si. Mais il n'est pas mort dans les flammes. Charly Lhombre a procédé à l'autopsie. Il est formel : l'enfant était mort *avant* l'incendie, qui a probablement été déclenché pour maquiller les causes du décès.

— Ce serait un meurtre ? demande Goldman.

— Vu les conclusions de l'autopsie, ça ne fait aucun doute.

— Un pédophile ? demandent simultanément Véronique et Liliane.

— Je ne crois pas, répond Marc, soudain très abattu. Je n'ai jamais entendu parler d'un pédophile qui prélève chirurgicalement les poumons, le cœur et les reins de sa victime quelques semaines après s'être fait la main sur des adultes.

Des regards incrédules scrutent le visage de Marc

— Sept sans-abri ont été éviscérés de la même manière au cours des quatre derniers mois.

1. Un groupe Balint est un groupe dans lequel, autour d'un analyste-animateur, des professionnels de la relation (des soignants en général, parfois des enseignants) discutent des difficultés qu'ils rencontrent au cours de leur pratique.

208

LA PRISE DE LA PAROLE

**Faculté de médecine de Tourmens,
grand amphithéâtre de première année**

— Pour conclure, je vous invite à méditer une question toute simple avant de décider si vous voulez ou non donner vos organes. Si votre enfant avait besoin d'une transplantation, ne voudriez-vous pas qu'un cœur ou des poumons ou un foie ou un rein soient rapidement disponibles ? Refuser d'être donneur d'organes, c'est refuser la vie à ses propres enfants.

Pendant que les applaudissements des étudiants retentissent, le professeur Magouÿ, fringant doyen de la faculté, bondit sur l'estrade et prend le micro, puis la parole.

— Merci, docteur Mangel, pour votre excellente communication. Il nous reste environ une demi-heure, je suis sûr que nos étudiants ont des questions à nous poser...

Il lève le micro en direction de la salle. Un murmure court dans les rangs. Au bout de quelques secondes, plusieurs mains se lèvent. L'enseignant désigne une jeune fille au premier rang. Des sifflets retentissent.

— Silence ! s'exclame l'enseignant, ou je fais exclure de cette faculté dix étudiants pris au hasard !

Un silence de plomb tombe sur l'amphithéâtre.

— Vous le feriez ? murmure Mangel à l'enseignant.

— Sans hésitation, répond le doyen *sotto voce*. Puis, faisant signe à l'étudiante qui a levé la main : Venez prendre le micro, mademoiselle !

— Voilà, je voulais demander au professeur Mangel...

— *Docteur* Mangel... Le professeur Mangel c'est mon cousin...

— Pardon ! Je voulais demander au docteur Mangel si les histoires qu'on raconte sur les trafics d'organes sont vraies. On en entend beaucoup parler, surtout sur Internet, en particulier d'enfants enlevés pour leurs organes... Alors je me demandais...

Le doyen l'interrompt.

— C'est une question stupide. Un trafic clandestin d'organes est tout simplement impossible. N'est-ce pas, cher ami ?

Mangel tend la main vers le micro, mais le doyen ne le lâche pas et poursuit :

— Les transplantations sont strictement réglementées dans notre pays – et dans tous les pays où ce type de chirurgie est possible –, ce qui veut dire qu'aucun hôpital n'accepterait d'acheter des organes dont la provenance est inconnue pour les transplanter à ses malades. Ce serait beaucoup trop dangereux. C'est pour cela que le don est volontaire et gratuit. Mais même en dehors de ça, le trafic d'organes est impraticable, pour des raisons que vous allez très vite comprendre. D'abord, il ne suffit pas de disposer d'un rein ou d'un cœur, il faut que les antigènes d'histocompatibilité de l'organe à transplanter soient compatibles avec ceux du receveur. Sinon, il va le rejeter aussi sec. Il faut donc aussi disposer de techniques de laboratoire très perfectionnées. Transporter un organe n'est pas simple non plus : il faut le conserver dans un milieu réfrigéré et stérile, et disposer d'hélicoptères ou d'avions qui peuvent décoller à toute heure pour le véhiculer au plus vite après son prélèvement jusqu'au centre qui va le greffer : on dispose de cinq heures pour transplanter un cœur ou des poumons, de vingt-quatre heures pour un foie et de trente-six à quarante-huit heures maximum pour un rein. Les chirurgiens et l'équipe qui vont pratiquer la transplantation doivent être prêts à intervenir vingt-quatre heures sur vingt-quatre. C'est un personnel entraîné, on ne le trouve pas comme ça. En plus de l'équipement de bloc opératoire, il faut aussi des appareillages hypersophistiqués – un appareil de dialyse quand on transplante un rein, un système de circulation extracorporelle pour un cœur...

174

— Du sang..., ajoute Mangel en se penchant vers le micro fixe posé sur le pupitre de l'amphi.

— Du sang ! Vingt à cinquante culots de sang, du même groupe que le receveur ! Donc, vous voyez, pour transplanter clandestinement des organes, il faut une infrastructure que tous les hôpitaux publics n'ont pas, loin s'en faut. Enfin, aucun chirurgien digne de ce nom n'accepterait de mettre sa carrière en jeu pour se lancer dans une entreprise pareille. Ça lui coûterait beaucoup trop cher : il serait totalement discrédité ! Alors, vous imaginez ! Un réseau enlevant des enfants pour leur prendre leurs organes ? Et qui les grefferait ? À qui ?

Dans la salle, le silence est de plomb. Satisfait, le doyen tend le micro quand une autre voix s'élève.

— Des praticiens corrompus ! À des gens très riches !

Toutes les têtes se tournent vers le milieu de la salle, où l'étudiante qui vient de parler s'est levée.

— Certaines personnes ont largement les moyens de s'offrir ça, et vous les connaissez !

Les deux orateurs échangent quelques mots inaudibles. Le doyen a l'air très contrarié et fait visiblement un effort pour ne pas s'emporter.

— Pour quoi faire ? répond-il finalement avec un sourire hautain. Les transplantations sont gratuites pour tout le monde, pour les riches comme pour les pauvres... et les riches ont les moyens de se soigner en attendant un greffon...

— Oui, mais ils sont comme tout le monde : ils doivent attendre qu'un greffon compatible soit disponible. Et on les met sur la liste d'attente. S'ils pouvaient repérer leurs donneurs à l'avance...

— Vous délirez, mademoiselle. Allons, est-ce que quelqu'un a une question plus sensée ?

— ... Et tous les patients riches en attente de greffe ne sont pas inscrits sur les listes de receveurs, insiste l'étudiante. S'ils sont trop âgés, s'ils sont séropositifs...

— Ça suffit ! Taisez-vous ou je serai obligé de vous faire sortir.

Des murmures s'élèvent des rangées.

— Elle est folle, cette nana ? Elle sait pas que Magouÿ va la virer ? murmure Mangel stupéfait à l'appariteur qui vient d'entrer dans l'amphithéâtre et se tient à présent au pied de l'estrade.

— Non, il sait qu'il va avoir beaucoup de mal avec elle.

— Ah bon ? Pourquoi ?

— Sa belle-mère est quelqu'un d'important, dit l'appariteur en soupirant.

— Ah bon ? C'est qui ?

— La présidente d'un gros labo.

— Bordel de merde ! crache Mangel.

L'étudiante, à présent, se met à crier.

— ... L'industrie pharmaceutique a largement les moyens de mettre au point un réseau de transplantations clandestines ! Elle peut s'offrir le matériel, les médecins, tout ! Et vous le savez très bien, monsieur le doyen ! Vous dîniez avec ma belle-mère pas plus tard qu'avant-hier... Et qu'est-ce qu'elle disait ? « Chaque homme a son prix ! »

— Ah, fait l'appariteur en voyant le doyen, écarlate de rage, lui faire signe. Là, faut que j'y aille.

Tandis que les étudiants piquent du nez sur leur feuille, le malabar gravit en courant les marches de l'amphithéâtre pour faire sortir l'intruse.

VICES ET PROCÉDURES

M. Foutriquet, premier président de la cour d'assises de Tourmens, est au volant quand son téléphone portable se met à sonner. Son kit mains libres n'étant pas branché, il ne répond pas. Deux minutes plus tard, un signal l'avertit qu'on lui a laissé un message. Il met son téléphone sur haut-parleur et consulte sa boîte vocale.

— Bonjour, monsieur le président. Ici maître Lesale. J'aurais voulu vous parler très vite. Merci de me rappeler. Vous connaissez mon numéro.

Oui, il connaît le numéro de maître Lesale. Il ne le connaît que trop bien depuis que ce gros homme gluant est un jour entré dans son bureau et a sorti de sa sacoche défraîchie deux documents – une reconnaissance de paternité et une plainte pour viol – en lui demandant laquelle des deux il préférait voir communiquée à la presse.

Le président Foutriquet ne connaissait pas le nom de la personne mentionnée sur les deux documents. Lesale lui a présenté une photo pour lui rafraîchir la mémoire. Cela s'était passé quelques semaines avant son arrivée à Tourmens. Le maire et le préfet avaient organisé un cocktail pour tous les hauts fonctionnaires récemment nommés. On avait envoyé au juge Foutriquet une voiture avec chauffeur et retenu une chambre pour lui dans le meilleur hôtel de la ville. Il était venu sans son épouse, retenue par le déménagement. La femme de la photo l'avait abordé pendant le cocktail en lui demandant de l'aider à échapper à un homme qui la harcelait. Elle avait désigné à l'autre bout de la salle un gros type gluant qui lui faisait des signes appuyés. Elle s'était arrangée pour s'asseoir au côté du juge à table. Après le dîner, il lui avait proposé de la raccompagner. Il avait découvert avec plaisir qu'elle logeait dans le même hôtel que lui. Elle l'avait rejoint dans sa chambre. De ce qui s'était passé ensuite, il n'avait plus aucun souvenir. Il savait seulement que le lendemain, il était seul, il n'avait pas entendu son réveil, il était en retard et il avait une sacrée gueule de bois.

Tout cela lui est douloureusement revenu à la mémoire – mal de crâne inclus – lorsque, sept semaines plus tard, le gros Lesale est entré pour la première fois dans son bureau au palais de justice. Le juge Foutriquet a failli lui sauter à la gorge mais il a vite compris que ça ne résoudrait pas son problème. Il a seulement avalé sa salive puis demandé : « Que voulez-vous ? »

Rangeant les documents dans sa sacoche, Lesale a répondu : « Je vous appellerai. »

Ce n'est pas la première fois que Lesale le rappelle. Il a déjà reçu, à maintes reprises, plusieurs « sollicitations » pour rendre de menus services. Égarer un dossier ou le faire glisser au bas d'une pile. Renvoyer une audience *sine die*. Débouter un plaignant qui prétendait que son scooter avait été écrabouillé par la voiture d'une personnalité, et le condamner aux dépens.

Qu'est-ce que ce serait, cette fois-ci ?

Brusquement, le juge Foutriquet a du mal à respirer. Il lui est impossible de conduire *et* de discuter avec ce salaud. Il repère une place de parking et se gare. Après avoir desserré sa cravate, il appuie sur la touche « Rappel ».

— Un non-lieu ? Vous êtes fou ? s'exclame le juge.

— Pour vice de procédure. C'est une situation courante.

— Mais ces deux types ont été pris en flagrant délit !

— Les circonstances pouvaient porter à confusion. Ils étaient face à deux suspects dont le comportement délictueux avait été signalé par un chirurgien respecté...

— Qui a été incarcéré pour chirurgie illégale et qui s'est suicidé en prison !

— Ce qui ne change rien à la perception qu'en avaient mes clients jusque-là. Ils ignoraient que ce chirurgien était un criminel. Ils ont agi en toute bonne foi. Et lorsqu'ils ont été agressés par ces deux hommes, ils étaient en état de légitime défense...

— Où voulez-vous que je trouve un vice de procédure dans ce dossier ? Les policiers qui ont procédé à leur interpellation sont les plus fiables de la ville... Roche est une fonctionnaire intègre et elle a empêché ces saligauds d'assassiner deux personnes !

— Le capitaine Roche n'était pas en service au moment des faits. Elle a capté un message sur un appareil installé dans sa voiture personnelle, ce qui est formellement interdit par la réglementation... et elle est intervenue sans le signaler à sa hiérarchie.

— Mais tous les flics font ça !... Vous n'allez pas le lui reprocher !

— Moi, non. Mais vous, monsieur le président, vous le pouvez...

Le juge reste silencieux. Dans un dernier sursaut de rébellion contre le sale maître chanteur, il s'écrie :

— Rien ne prouve que cette fille soit enceinte de moi !

— Allons, monsieur le président. Vous savez de quoi l'analyse ADN est capable...

Quand la voix du président s'éteint, Lesale replie son téléphone et lève les yeux vers les deux hommes assis en face de lui.

L'un est petit, sec et mâchouille une cigarette éteinte. L'autre est une armoire à glace au visage sans intelligence.

— J'ai une bonne nouvelle pour vous, dit l'avocat avec un sourire.

Le lendemain, le chroniqueur du *Tourmentais Libéré* chargé des comptes-rendus d'audience sort furieux du palais de justice. Il se précipite vers la rédaction du journal pour y rédiger un article détonnant sur la remise en liberté et le non-lieu scandaleux dont viennent de bénéficier messieurs Sturm et Drang, fonctionnaires de police inculpés d'enlèvement, d'assassinat et de tentative de meutre après avoir été pris en flagrant délit quelques mois plus tôt sur le parvis du CH Nord. Puis il se rend dans le bureau de son rédacteur en chef qui vient de répondre à un appel téléphonique urgent de la mairie. Le rédacteur en chef secoue la tête et, sans un mot, déchire l'article. Puis il laisse entendre au journaliste qu'aucun média tourmentais ne fera allusion à cette audience ; il lui déconseille donc fortement de rédiger la moindre ligne à ce sujet.

UNE SOIRÉE EXCEPTIONNELLE

TéléTourmens Canal 13 :
« Power to the Pipeulz »,
émission animée par Léonard Karib

— Bonsoir ! Merci de nous rejoindre, comme chaque semaine depuis bientôt trois ans. Je vous rappelle que dans quelques jours, samedi très exactement, nous fêterons avec faste l'anniversaire de notre émission dans un lieu exceptionnel, le Centre culturel multimédiatique Michel-Houellebecq. Pour l'occasion, j'ai invité ce soir la personne la plus apte à nous parler de ce que certains qualifient de « projet pharaonique » du maire de Tourmens – comme si un centre culturel ou une bibliothèque pouvait être qualifié de projet somptuaire, démesuré ! A-t-on jamais parlé ainsi de la Très Grande Bibliothèque de Bercy, je vous le demande ? Mais laissons les méchancetés aux mauvaises langues. Nous recevons ce soir le maître d'œuvre de ce projet, Victor-Hubert Slezak, l'écrivain-philosophe-journaliste bien connu et conseiller personnel à la culture de Francis Esterhazy. Victor-Hubert Slezak, bonsoir...

— Bonsoir... Comment allez-vous, Léonard ?

— Très bien, merci, je suis tout impatient à l'idée d'assister à l'inauguration du Centre Michel-Houellebecq, samedi prochain.

— Comme je vous comprends. C'est un très beau projet. Très, très. Et son inauguration sera je pense très très émouvante.

— Il y aura du beau monde, je crois...

181

— Du très très beau monde. L'orchestre philharmonique du Centre-Ouest dirigé par Yoko Hama. Un court récital de la cantatrice Irina Vladislava...

— Oui, les rumeurs selon lesquelles Céline Dion devait venir...

— Ah, mais j'espère bien que Mlle Dion viendra donner un concert dans notre salle lors de sa prochaine tournée, mais sérieusement, le programme de cette soirée est prévu de longue date... Vous voyez, la soirée de samedi mettra en œuvre tous les atouts du Centre Houellebecq : aussi bien dans le domaine de la musique que dans celui de l'audiovisuel puisque le vidéaste Thamaz Berenchkjza viendra nous présenter sa toute nouvelle création, *Paranoïa*, un vidéo-spectacle virtuel de toute beauté...

— Oui, j'ai lu votre article dans *Télérama*, c'est très alléchant... Il y aura aussi un très beau montage de scènes de Molière...

— Absolument !

— ... dont vous êtes l'auteur...

— N'exagérons rien ! L'auteur de ces scènes, c'est Molière, tout de même... Je me suis, très, très modestement, contenté de choisir des scènes significatives de son œuvre et de les monter avec la troupe du théâtre de la Méduse, notre troupe subventionnée...

— Vous avez dirigé les comédiens ?

— Non, non, pas du tout. Je me suis contenté de leur expliquer ce que Molière, à travers les siècles, nous dit de notre société, des hypocrisies des bourgeois, de la cruauté de l'amour, de la majesté du pouvoir... Enfin, vous voyez...

— Je vois, je vois... C'est un écrivain important pour vous...

— Très, très. Et toutes les théories imbéciles selon lesquelles il n'aurait pas écrit ses pièces mais aurait commissionné Corneille ou je ne sais qui pour le faire sont non seulement ridicules, mais me mettent absolument hors de moi...

— Je vois, je vois... En tout cas, ce projet vous tenait très à cœur, car vous connaissiez l'écrivain, je crois ? Je parle de Michel Houellebecq, pas de Molière, bien sûr ! Hahahahahaha-hahah !

— Oui, encore que... Qui sait si, au cours d'une vie antérieure... Vous savez, je ne crois pas au hasard...

— Je suis convaincu que Molière et vous auriez été très amis...

— Très ! Très ! Et vous voyez, j'étais très proche de Michel et pour tout vous dire, je me trouvais avec lui au CHU Sud pendant les heures qui ont précédé...

— Oui, car ce que nos spectateurs ne savent peut-être pas c'est que celui que l'on considère comme le plus grand écrivain français de ce siècle...

— ... et du précédent ! N'oubliez pas que son premier roman date de 1994...

— ... C'est vrai ! Donc, les téléspectateurs ne savent peut-être pas que Michel Houellebecq est décédé à Tourmens !

— Hélas !

— ... dans des conditions terribles...

— Terribles...

— Vous pouvez nous en dire plus ? Je vois que vous êtes très ému...

— Selon toute probabilité, il s'agit d'une erreur médicale...

— Mon Dieu ! Le CHU serait responsable ?

— Non ! Je n'ai rien dit de tel ! Non, Michel était venu passer quelques jours dans ma propriété des bords de la Tourmente, il a été pris de malaises, j'ai fait appel à un médecin de ville qui a diagnostiqué une crise de foie, ce qui sur le moment nous a fait bien rire, mais le lendemain, il allait toujours

— T'as vu comment il fait semblant de pleurer ? Quel hypocrite !

— Le personnage est hypocrite. L'acteur est exceptionnel. C'est rare de pouvoir être aussi crédible dans l'ignominie, je trouve...

— C'est qui, cet acteur ?

— Chais pas. Faudra regarder le générique, à la fin...

très mal. Je l'ai donc fait hospitaliser chez le professeur Mangel...

— Grand endocrinologue du CHU...

— Oui, et professeur à la faculté de médecine... Un praticien exceptionnel... Mais, malgré tous ses efforts et ceux de son équipe, il n'est pas parvenu à le sauver. C'est d'autant plus tragique qu'il était sur le point de terminer un roman d'une ampleur exceptionnelle, *Génétique des cadavres*, dans lequel il poursuivait sa réflexion sur la dégradation inéluctable de l'espèce humaine...

— Et dont le manuscrit, malheureusement inachevé, devrait être publié à la rentrée, je crois ?

— Eh bien, pour tout vous dire – je suis heureux d'offrir ce scoop à vos téléspectateurs – pour tout vous dire, le livre vient de sortir de l'imprimerie et il sera mis en vente ce samedi, à l'occasion de l'inauguration du Centre. D'ailleurs, j'en lirai quelques pages lors de la soirée de gala.

— Bravo ! Merveilleux ! Comme c'est adorable de nous confier ce scoop ! Je suis certain que nos téléspectatrices sont aux aaaaannnnges... Félicitations !

— Merci... merci.

— La confidence que vous venez de nous faire m'a un peu coupé le souffle, mais je crois qu'elle cache un autre scoop, qui ravira les lecteurs attristés de l'écrivain, c'est que vous êtes parvenu à reconstituer la fin du roman ?

— Oui...

— Racontez-nous ça !...

— Eh bien comme je l'ai dit, Michel et moi étions très, très liés, par la convergence d'esprit, la communauté d'idées, la même rébellion contre les establishments, les donneurs de leçons, les barbaries du quotidien, enfin, vous voyez...

— Je vois, je vois...

— Nous avions depuis longtemps le projet d'écrire un livre ensemble, mais l'occasion ne s'était pas présentée, nous avions tous les deux beaucoup à faire, lui avec ses romans et ses films, moi avec les miens... Mais nous échangions beaucoup de courriers...

— Des mails ?

— Non ! Des courriers ! Lui comme moi sommes des hommes de plume, nous avons besoin du contact physique avec le stylo, le papier, l'encre qui tache les doigts de l'écrivain comme le cambouis ceux du mécano... Donc, nous nous écrivions régulièrement et nous *échangions* sur nos œuvres respectives, bien sûr, il m'a demandé à plusieurs reprises mon avis sur sa *Génétique* en m'expliquant ses intentions et en me demandant de les commenter... Vous comprenez, c'était un écrivain très, très puissant, mais il était constamment pétri de doute, tout comme moi – c'est d'ailleurs ce qui nous rendait si proches l'un de l'autre... De sorte que, lorsque ce malheur est survenu, à travers le désespoir qui m'envahissait, j'ai vu une lumière : ces lettres, si pénétrantes, si éclairantes, c'était l'occasion ou jamais de permettre à son roman inachevé de voir le jour malgré sa disparition tragique. Bien entendu, les ayants droit de Michel n'ont opposé aucune objection !

— Et donc, à la fin du manuscrit, vous publiez ces lettres qui expliquent la fin de l'histoire...

— Vous n'y pensez pas ! Publier ces lettres était impossible, elles contenaient trop de détails intimes, il n'était pas question de les censurer, ça n'aurait pas eu de sens. Non ! Michel m'avait fait l'amitié de me confier ses réflexions et de solliciter les miennes, et cela lui a permis de construire son livre. C'est d'ailleurs pour y réfléchir avec moi et en terminer l'écriture dans un endroit propice à la plus grande sérénité littéraire qu'il était venu passer quelques semaines à mon domicile... Malheureusement, son séjour s'est terminé tragiquement...

— Et donc, vous...

— Oui, moi ! Si quelqu'un pouvait terminer le livre de Michel en son absence, c'était moi, et personne d'autre ! Je l'ai donc fait ! Et, dans l'ivresse de cette réhabilitation de sa pensée, j'ai eu l'idée de proposer à Francis Esterhazy, que je connais depuis très, très longtemps, près de trente ans, maintenant que j'y réfléchis..., d'édifier un centre à la mémoire de Michel, un véri-

— Hahaha, quel menteur !

— Ouais, hein ? Et il a dit ça avec un aplomb ! Quel acteur...

— Quoi ?

— T'as pas entendu ? Il vient de dire qu'il connaît Esterhazy depuis trente ans... Mais dix ans avant que l'histoire commence, Esterhazy était un obscur inspecteur de police. Tu imagines V-HS partageant une boîte de sardines à l'huile avec un chien de commissaire ?

table monument contre la décadence qui accueillerait tous les arts, au nez et à la barbe des barbaries qui nous menacent...

— Alors sans votre intervention, le CCMMH n'existerait pas ?

— Eh bien, il faut bien reconnaître que, sans moi, ce centre n'aurait pas vu le jour, car lorsqu'il s'est agi de demander au ministère de le financer, j'ai mis tout mon poids dans la balance...

— Effectivement, le maire Esterhazy a bien précisé, lors de l'adoption du projet, que le CCMMH serait entièrement financé par des subventions ministérielles et des dons privés et qu'il ne coûterait rien au contribuable tourmentais...

— Et c'est tout à son honneur ! Bon, il a fallu tout de même financer les infrastructures d'accès au centre, assainir les berges de la rive gauche, prolonger la ligne de tram, mais ces travaux devaient avoir lieu de toute manière, ils faisaient partie des plans d'aménagement du Grand Tourmens. Le centre en lui-même n'a pas coûté un centime aux habitants !

— C'est merveilleux ! Merveilleux ! Et quelles pages de l'ultime roman de Michel Houellebecq allez-vous nous lire samedi ?

— Les toutes premières pages, bien sûr, ainsi qu'un extrait de cette fin sublime que j'ai reconstituée au prix de nombreuses nuits sans sommeil, mais dans le respect le plus absolu de sa pensée... Ce sera très émouvant, je pense...

— Ce sera la toute première fois qu'on lira ces pages en public, je crois ? Personne n'a lu le livre encore...

— Effectivement, l'éditeur et moi-même sommes tombés d'accord pour ne pas l'envoyer aux critiques dont les réactions sont toujours très ambivalentes face aux œuvres à quatre mains, surtout celles que rédigent des anticonformistes comme Michel et moi...

— C'est merveilleux ! Merveilleux ! Avant de nous quitter, Victor-Hubert Slezak, quels sont vos projets ? Je veux dire, après l'inauguration...

— Eh bien à la demande de la famille de Michel – sa famille intellectuelle et sa famille de cœur –, je vais me plonger dans ses notes et reconstituer le roman qui aurait logiquement suivi la *Génétique des cadavres*.

— Ses notes ? Mais ce doit être une entreprise...

— Colossale. Oui. Mais l'importance de l'écrivain commande que son œuvre se poursuive. Et s'il faut pour cela que je mette mon œuvre propre en sommeil temporaire, franchement, le prix à payer est bien modeste.

— Tout comme vous l'êtes, Victor-Hubert Slezak. Merci de nous avoir parlé de manière si... bouleversante, ce soir. Quant à nos auditrices, je leur donne rendez-vous samedi, à 21 heures, pour le gala d'inauguration du Centre culturel multi-médiatique Michel-Houellebecq, qui sera retransmis sur notre antenne avec un léger différé de quelques minutes, puisque la chaîne chinoise TCP a acquis les droits de la diffusion en direct – toujours grâce à vous, Victor-Hubert Slezak…

LES DISPARUS

Moïse Elfrich a la peau brunie, les cheveux longs attachés derrière la tête et un anneau à l'oreille. Il porte un jean, une chemise et un veston noirs, se tient droit et digne. En le voyant, Marc se dit que, décidément, les Manouches, les Roms, les Gitans, les Tsiganes sont les Indiens de l'Europe. Et, contrairement aux *Native Americans*, personne n'a encore réussi à les enfermer dans des réserves...

— Qui a fait ça à mon fils ?

— L'enquête ne fait que commencer, monsieur Elfrich. Officiellement, je ne devrais même pas être au courant. Mais je sais qu'on ne va pas vous rendre son corps de sitôt et je tiens à ce que vous sachiez pourquoi.

— Qui peut avoir fait une chose pareille ? répète le père. Enlever un enfant pour lui prendre ses organes ? Qui peut être aussi cruel ?

— Je ne sais pas. Mais le juge qui s'occupe de l'affaire est un honnête homme, et il fera tout ce qui est en son pouvoir pour retrouver l'assassin.

— Même si la victime est un enfant de Manouche ? Un petit garçon sale que son père envoie dans la rue voler les passants ?

— Vous savez bien que je ne pense pas ça...

— Je sais que vous, vous ne le pensez pas, monsieur le docteur. Mais tout le monde n'est pas comme vous.

Marc hoche la tête. Cela fait longtemps qu'il s'occupe des femmes d'une des tribus itinérantes qui passent régulièrement par Tourmens. Et ces femmes – comme les travailleuses sociales qui s'occupent d'elles – savent que peu de médecins reçoivent sans rechigner les patientes portant des bordereaux jaunes de prise en charge ; rares sont ceux qui ne font pas la grimace quand elles sont enceintes de sept ou huit mois mais n'ont « pas fait les examens » ; rares sont ceux qui ne refusent pas de leur poser un implant ou un stérilet. Les hommes des tribus le savent aussi. Lorsque Marc est arrivé sur le terrain vague où campe la tribu, plusieurs personnes lui ont donc fait spontanément un signe de bienvenue en le reconnaissant.

Deux femmes sont venues à sa rencontre ; apprenant qu'il cherchait la famille de Babik Elfrich, elles ont désigné une roulotte près de laquelle était attaché un lourd cheval de trait...

— *Il y a encore des Manouches qui font traîner leurs roulottes par des chevaux, en France ?*
— *Oui. En particulier dans les pays de la Loire...*

— Quand nous sommes venus vous voir l'autre jour, vous le saviez, docteur, que notre fils avait été retrouvé ? demande Moïse Elfrich.

— Non. J'ai appris qu'on avait retrouvé le corps d'un enfant, et j'ai pensé qu'il s'agissait du vôtre.

— Et vous êtes sûr que c'est bien lui ?

— Malheureusement, aucun autre enfant n'a été porté disparu et le corps que l'on a retrouvé a la taille et l'âge osseux de votre fils. Pour être tout à fait sûr, il faudrait un prélèvement... Mais j'y pense... Vous m'avez dit qu'après l'incendie, on vous a fait cracher dans des flacons... Je me trompe ?

— Un docteur est venu exprès pour ça. Accompagné par la police.

— Un docteur ?

— Oui. Un homme désagréable. Il avait le crâne rasé et une oreille plus petite que l'autre, mais ça le rendait pas plus sympathique pour ça. Les gendarmes n'étaient pas très contents qu'il soit là, mais ils avaient reçu des ordres, ils devaient le laisser faire.

— Il y a quelque chose que je ne comprends pas, dit Valène, passant la main dans ses cheveux coupés en brosse. Ce recueil de salive a servi à recueillir votre ADN. Mais il n'y a aucune trace de comparaison d'ADN avec celui de l'enfant qui est mort dans l'incendie. Or, je suis sûr que le juge l'aurait demandé.

— Qu'est-ce que ça veut dire ?

— Mmmhhh... Que le « docteur » qui a fait les prélèvements ne travaillait pas pour la gendarmerie, mais pour quelqu'un d'autre...

Moïse Elfrich reste pensif.

— Docteur, il faut que je vous dise quelque chose... Mais vous en parlerez pas aux gendarmes...

Marc grimace.

— Ah... Je suis assermenté, monsieur Elfrich. S'il s'agit de quelque chose d'illégal, il vaut mieux ne pas m'en parler.

— Ce n'est pas illégal. Je ne crois pas. Enfin, je ne sais pas. On a chez nous quelqu'un qui ne va pas bien. Mais qui n'est pas de chez nous.

— Que voulez-vous dire ?

Moïse Elfrich ne répond pas, il fait signe au médecin de le suivre jusqu'à une roulotte installée près du bois.

Au fond de la roulotte, une jeune femme gît, prostrée, sous une pile de couvertures. Marc se penche vers elle. Elle a les yeux hagards et grelotte de fièvre. Ce n'est pas une femme manouche. Elle ne répond pas à ses questions.

— D'où vient-elle ? demande-t-il à Moïse Elfrich.

— On ne sait pas. Elle était dans sa voiture garée au bord du chemin, lundi matin, très tôt. Elle avait dû arriver dans la nuit. Une de mes sœurs l'a vue ; elle était allongée sur le siège arrière et elle tremblait. Comme elle ne voulait pas ouvrir, on a forcé la portière. On l'a sortie, on voulait lui faire dire qui elle était, mais elle ne répondait pas à nos questions. Au contraire, c'est elle qui demandait « Où je suis ? Qu'est-ce qui m'est arrivé ? Comment je suis arrivée ici ? » Et on avait beau lui expliquer, au bout de dix minutes elle reposait les mêmes questions. Ça a duré toute la journée et toute la nuit suivante... Elle s'est réfugiée dans cette roulotte, elle ne voulait pas qu'on l'approche...

— Ça ressemble à un ictus amnésique..., murmure Valène.

— Le lendemain, elle a commencé à avoir de la fièvre, elle délirait ; moi, je disais qu'il fallait appeler un médecin, mais ma femme ne voulait pas que j'en parle, elle avait peur que vous le disiez aux gendarmes, et qu'on nous accuse de l'avoir mise dans cet état... On l'a gardée au chaud, on lui a donné à boire, elle voulait rien manger, elle délirait, ça fait trois jours maintenant, mais on peut pas la laisser comme ça. C'est pas chrétien. Si elle meurt...

Marc prend le pouls de la jeune femme, examine ses yeux et sa bouche sèche, pince délicatement la peau de son bras.

— Elle est déshydratée. Aidez-moi à la porter jusqu'à ma voiture...

— Qu'est-ce que vous allez faire ?

— L'emmener à l'hôpital.

— Elle va mourir ?

— Non, ne vous en faites pas. Elle est sonnée, mais elle est jeune, elle va s'en remettre. Vous avez bien fait en lui donnant à boire et en la gardant à l'abri, monsieur Elfrich. Où est sa voiture ?

— On n'y a pas touché, mais on a mis une de nos roulottes devant pour qu'on la voie pas depuis la route. On ne savait pas quoi faire.

Quand ils ont allongé la jeune femme sur la banquette arrière, Moïse Elfrich tend à Marc une veste, un sac et une paire de chaussures.

— Ce sont ses affaires. Je ne veux pas que quelqu'un dise qu'on l'a volée.

— Personne ne dira ça, monsieur Elfrich. Comptez sur moi.

— Qu'est-ce qu'on fait de la voiture ?

Marc ouvre le sac et en sort un trousseau de clés.

— Je vais aller la garer plus loin et je dirai aux gendarmes que la voiture était arrêtée au bord de la route, que cette jeune femme était dedans, que vous l'avez secourue et m'avez prévenu. Tout ça est vrai et personne ne vous le reprochera.

Il ouvre le porte-cartes de la jeune femme. Sa carte d'identité lui confirme ce qu'il avait déjà soupçonné : elle se prénomme Clarisse. Ce qui le surprend beaucoup plus, c'est son patronyme.

— Il faut que je l'emmène tout de suite, monsieur Elfrich.

Il tend la main au Manouche et la serre chaleureusement.

— Je suis vraiment désolé de ce qui est arrivé à votre petit garçon.

— Merci, docteur. Je me demande seulement pourquoi les gendarmes ne sont pas revenus nous interroger quand ils ont su que notre enfant était mort.

— Il y a eu beaucoup d'intervenants dans cette affaire, je ne suis pas sûr qu'ils sachent que c'est votre enfant, monsieur Elfrich. De toute manière, s'ils s'en doutaient, ils sauraient très vite que vous n'êtes pour rien dans tout ça...

— Vous êtes bien bon, docteur, mais vous rêvez. Quand il y a un incendie, un vol ou un meurtre, c'est toujours à nous qu'on pense en premier.

Oui, mais pas quand on trouve le corps d'un enfant éviscéré dont les artères ont été soigneusement suturées au fil résorbable, pense Marc.

209

OFF THE RECORD (3)

Je regarde mes mains ; je réfléchis un moment, avant de regarder René/e. Je dis :

— Depuis le début de nos entretiens, vous n'arrêtez pas de tourner en rond sans aborder le vrai problème de front.

— C'est quoi, « le vrai problème », répond-*ille*.

Je souris. Comment vais-je formuler ça ?

— Vous parlez souvent des difficultés que vous avez à... cohabiter l'un avec l'autre, mais vous ne parlez jamais des bénéfices que vous en tirez.

— Des bénéfices ? s'exclame-t-ille, sur un ton offusqué. *Quels bénéfices ?* Vous trouvez que c'est une situation confortable ?

— Je n'ai pas dit ça. Mais je vous ai entendu dire que vivre à deux dans le même corps, c'est vivre à moitié.

— En tout cas, c'est vivre la moitié du temps, dit la voix de Renée.

— Pour toi, c'était plutôt les trois-quarts, répond son frère. Qu'est-ce que je devrais dire, moi ? Jusqu'à il y a un an, je sortais trois fois moins souvent que toi !

Avant que la dispute n'enfle, je lève les mains pour les arrêter.

— Puis-je poursuivre ?

Ille se calme et hoche la tête.

— La question que je me pose, à partir de ce que j'ai appris de vous depuis que vous venez me voir, est celle-ci : est-ce que vivre la moitié du temps ne vous évite pas de vivre pleinement ?

Ille reste silencieux un long moment, puis une voix plaintive qui n'est ni celle de l'un, ni celle de l'autre murmure :

— *Si seulement je ne me sentais pas si seullll...*

— Pardon ?

— Quoi ? dit René.

— Que venez-vous de dire ?

— Rien. Tu as dit quelque chose, toi ? demande l'un.

— Non, j'ai rien dit, répond l'autre.

Très intrigué, je me penche vers eux.

— Quelqu'un... je ne sais qui... vient de dire « Si seulement je ne me sentais pas si seullll ». Et je ne sais pas si la personne qui l'a dit est un homme ou une femme...

Je lis une grande confusion sur leur visage.

— J'ai pensé à quelque chose lors de notre dernière séance...

Ille se tait, attentif à ce qui va suivre.

— Je ne nie pas, pour l'avoir vu à plusieurs reprises, que votre corps soit capable de se transformer de manière visible, lorsque vous permutez... Mais...

J'hésite, mais ille me fait signe de poursuivre.

— ... Mais j'ai un peu de mal à admettre que ce corps *contient* deux personnes.

— Vous allez nous ressortir la vieille hypothèse de la personnalité multiple, c'est ça ? ironise Renée. C'est tellement facile...

— Seulement voilà, poursuit René, les individus à personnalité multiple sont des psychotiques et leurs différentes personnalités ne communiquent pas entre elles.

— Et ne parlent pas en même temps, ajoute sa sœur.

— Oui, oui, certes, je vous le concède. Mais vous voyez, ce que vous m'avez raconté de votre « conseil de guerre » d'hier, avec vos... amis respectifs...

— Marc et Liliane...

— Oui. Et ce marivaudage auquel ils se sont livrés en s'adressant à René-*e* alors que seul René était « officiellement présent »... À vous entendre le raconter, tout à l'heure, en début de séance, j'ai le sentiment que ça vous a beaucoup amusés.

— Ah, ça oui ! C'était à pleurer de rire ! murmure René avec ironie. Il fallait l'entendre pester pendant que Liliane et Marc se moquaient d'elle.

— Et moi, comme j'ai ri quand j'ai pris le volant sans prévenir ! La tête qu'ils ont fait, tous, en l'entendant l'beau René parler avec la voix d'une minote !

— Sale garce ! lance René d'une voix presque tendre.

— Gros niaiseux ! réplique sa sœur sur le même ton.

Je lève la main une nouvelle fois.

— Vous voyez ? C'est exactement de ça que je parle.

— Quoi ?

— On n'est jamais seul. Dans sa tête. Face au monde. Face aux personnes qu'on désire ou qu'on redoute. À deux on est plus fort. Et quand l'un n'en peut plus, il peut se replier dans sa coquille de temps à autre, pendant que l'autre affronte le monde.

Ille se tait. Ce silence est inhabituel.

— Être deux ça permet de ne faire face au monde que la moitié du temps... Vivre *seul à deux*, en quelque sorte, ça protège. Quand on tombe amoureux, ça permet de ne jamais se retrouver complètement seul quand l'objet d'amour n'est pas là. Ça permet aussi de mettre en sommeil les confrontations avec l'être aimé en lui présentant une personnalité de rechange. Une sorte « d'interface » à la fois familière et étrangère...

— Que voulez-vous dire ?

— Voyons... Je vais parler à la troisième personne, ça sera plus clair. L'an dernier, quand René-*e* a été « enlevée », René s'est réveillé seul, sans aucune possibilité de communiquer avec sa sœur. Au point qu'il s'est demandé si elle n'était pas morte.

— Oui...

— Or, cela faisait plusieurs semaines que René-*e* s'était liée au docteur Valène et contraignait donc son frère à rester enfermé...

— C'était déjà arrivé...

— Oui. Avec des partenaires sexuels occasionnels. Pas avec quelqu'un dont l'un de vous était amoureux.

— Ah...

— Amoureux au point de vouloir assigner l'autre au silence.

— Mais c'est moi qui ai « disparu » quand Sturm et Drang m'ont agressée et endormie, dit Renée.

— Vous croyez ? dis-je. Il y a une autre manière de voir ça.

— Laquelle.

— C'est René qui s'est réveillé.

De nouveau, ille reste silencieux. Ou silencieuse, je ne sais pas comment dire.

J'hésite. La phrase suivante me brûle les lèvres et je me demande si je vais la dire. Je me demande si je ne suis pas allé trop loin. Si je n'ai pas déjà jeté trop de doute dans ce cerveau que j'ai tellement de mal à comprendre. Et, brusquement, je me demande si je ne suis pas en train de faire des dégâts. Alors je regarde ostensiblement ma montre et je dis :

« Bon... »

Ille se lève, me tend deux billets et sort sans un mot.

Et, tandis que je vois la silhouette s'éloigner dans le couloir sombre, je me demande s'ille – s'ils ? – se posent la même question que moi.

Et si, depuis le début, j'avais affaire à une seule personne ; une personne exceptionnelle, certes, capable d'être homme ou femme à volonté, mais *une* personne et non deux ? Le couple René/Renée est-il, simplement, la stratégie élégante mise en place par une psyché d'enfant pour supporter les transformations incompréhensibles de son corps hermaphrodite ?

Si telle est la vérité, il me vient une seconde question, plus terrible encore.

Qui des deux est né dans l'imagination de l'autre ?

PRÉPARATIFS (1)

— Vous avez bien rrrespecté le cahier des charges ? demande Anastacia Volkanova en examinant le billet.

Il est tard, mais l'imprimeur attendait le passage de l'assistante du maire.

— Scrupuleusement, madame, répond l'artisan. La surface est suffisamment rugueuse pour recueillir des squames et des cellules superficielles de la peau, et le revêtement chimique se combine aux phéromones du porteur.

— Bien. Mais comment saurons-nous quelle personne a laissé ses traces dessus ?

— Les urnes équipées de capteurs magnétiques seront placées à toutes les entrées. Les arrivants devront déposer leurs cartons dedans, ce qui déclenchera au passage un signal enregistré sur les vidéos de surveillance.

— Mais tous les cartons seront en désorrrdre dans l'urne, non ?

— Non, les urnes sont conçues pour qu'ils s'y empilent dans l'ordre où ils y sont insérés. Et la fente est trop étroite pour en glisser plus d'un à la fois...

— Trrrès bien, murmure Anastacia, visiblement très satisfaite.

Elle ouvre son minuscule sac à main, y plonge son bras jusqu'au coude pour y trouver quelque chose.

— Vous avez tout expédié ? demande-t-elle, l'air absent.

— Oui, madame. Mon frère est en train de vous livrer les cartons et les urnes.

— Qui est au courant de la naturrre de cette... commande ?

— Comme vous nous l'aviez demandé, lui et moi, c'est tout. Nous avons acheté les différents composants à des fournisseurs séparés ; nous avons monté les urnes et imprimé tous les documents ici.

— Parrrfait, dit Anastacia dont les narines frémissent insensiblement. Pour le paiement...

— Je vous fais toute confiance, madame, dit l'imprimeur tout miel.

— C'est trrrès bête, répond la jeune femme en sortant de son sac un pistolet armé d'un silencieux. Elle vise l'homme incrédule entre les deux yeux et, posément, fait feu.

— Très gentil, mais trrrès bête...

Elle range son arme dans son sac, sort un téléphone portable et compose un numéro. Quand son correspondant décroche, elle dit simplement :

— J'ai rrréglé l'imprimeur. Occupez-vous de son frrrère. Puis rejoignez-moi au lieu convenu.

D'un pas qui fait claquer ses talons sur l'asphalte, Anastacia s'approche de la voiture et se penche vers la fenêtre du chauffeur. L'homme, qui ne l'a pas vue arriver, sursaute et se hâte de baisser la vitre.

— Vous avez fait le nécessairrre ? demande Anastacia.

— Ouaip, répond Sturm en retirant la clope mouillée de sa bouche ; il donne un coup de coude à Drang assoupi sur le siège du passager.

La Russe le met mal à l'aise. Elle est vraiment trop grande. Plus grande encore que les filles dont s'entoure le maire habituellement. Depuis qu'elle est dans le circuit, d'ailleurs, pas moyen d'en draguer une.

— J'ai encore un trrravail pour vous.

— Où ça ?

— À l'hôpital norrrd.

Elle sort de son sac une photo.

— Qui c'est ? demande Sturm en se grattant la tête.

— Un gêneurrrr.

— Ah. Et comment on le... traite ?

— Discrrrètement. Il faut qu'il meure dans son sommeil. Dans son bureau. Il a l'habitude de fairrre la sieste sur son canapé. S'il ne se rrréveille pas, à son âge, ça n'étonnera perrrsonne.

— Bon. Je vois. Mais comment je fais pour que ça ait *l'air* naturel ?

La blonde ouvre son minuscule sac à main et en sort une boîte métallique.

— Vous avez ce qu'il faut là-dedans. Injectez-le-lui entrrre les orrrteils.

— Bien, m'dame. Faut qu'on fasse ça quand ?

— Samedi. Pendant l'inauguration. À 21 h 30 précises.

— Bien, m'dame.

Anastacia tourne les talons ; Sturm la regarde s'éloigner de son pas inquiétant.

— Quel cul ! dit Drang en claquant de la langue.

— Ne rêve pas. Tu joues pas dans la bonne série.

— Dommage. Elle a juste la bonne taille pour que j'aie pas besoin de plier les genoux…, ricane le gorille.

— Je te déconseille de l'approcher. Et encore moins parderrière. Elle a probablement tout ce qu'il faut pour te transformer en pâté de tête.

— Qu'est-ce qu'elle trouve au maire, à ton avis ? demande Drang, vaguement vexé à l'idée qu'un homme qui mesure la moitié de sa taille obtienne tout ce qu'il veut d'une femme pareille. « Il peut tout de même pas en avoir une plus grosse que la mienne… »

— Non, mais la sienne est en platine, répond Sturm en lui donnant la photo.

— Qui c'est, ce type ? demande Drang.

— Y a son nom derrière.

— « Professeur Lance, service des urgences, CH Nord »… *Meeeeerde*… Je le connais !

— Ah oui ?

Sturm range la boîte métallique dans la poche de son blouson.

— Ben oui… Quand je jouais au rugby au Tourmens Olympic, il y a dix ans, je me suis démis l'épaule, quelle vacherie ! Aux urgences je suis accueilli par ce type, gentil comme tout, pas fier du tout, on a parlé de nos parents, les miens étaient charcutiers, les siens épiciers... Il m'a remis l'épaule en place sans me faire mal. C'est l'infirmière qui m'a dit ensuite que c'était le chef de service. Ça me fait tout drôle de penser qu'il faut qu'on s'occupe de lui...

— T'inquiète pas, ricane Sturm en tapotant sa poche. Avec ça, je suis sûr qu'il souffrira pas non plus.

— C'est fait ? demande Francis Esterhazy.

— Oui, monsieur le mairrre, répond Anastacia Volkanova.

Francis Esterhazy gonfle la poitrine. Il aime qu'Anastacia l'appelle « monsieur le mairrre » en exagérant légèrrrement son accent slave.

— Tu t'es débarrassée des deux imbéciles qui ont préparé la billetterie ?

— Oui, monsieur le mairrre..., susurre la voix rauque d'Anastacia.

— Aaaah... Et tu as chargé nos deux crétins de régler son compte à Lance...

— Oui, monsieur le mairrrrre..., ronronne la grande Slave blonde.

— *Lovely*... J'aime que l'on meure pour moi... Es-tu prête à mourir pour moi, Anastacia ?

— Oui, monsieur le mairrre, murmure Anastacia à son oreille.

— Samedi, tu auras l'occasion de me le prouver... À présent, montre-moi ce que tu sais faire...

— Oui, monsieur le...

— Euh... C'est normal qu'on voie rien, là ?

— Oui, à une heure de grande écoute, on ne peut pas montrer n'importe quoi, si jamais des enfants regardent...

— Et d'ailleurs, c'est tellement plus suggestif comme ça... N'est-ce pas, ma chérie ?

— Oui, monsieur le mairrrrrrrrrre...

AUDITION

Impatiente, intimidée, Renée entre dans l'auditorium du grand théâtre. Assises au quatrième rang, trois silhouettes écoutent des comédiens leur lire des textes debout sur la scène. En s'approchant, Renée voit la silhouette du milieu – la plus grande – se pencher vers sa voisine de droite. La silhouette de droite crie quelque chose au comédien debout sur la scène. Celui-ci s'interrompt, salue de manière un peu raide et cède la place à quelqu'un d'autre. Une jeune femme s'avance, un livre à la main. Renée croit l'entendre dire qu'elle va lire un extrait des... *Testicules alimentaires ?...* Non, elle a dû mal comprendre.

Ouch...

— Quoi ? murmure Renée. Ça ne va pas ?

Non. On a permuté un peu vite... T'as pas encore compris, depuis le temps, que j'ai les bijoux de famille sensibles ?

Renée soupire. Les blagues graveleuses de son frère tombent souvent à plat, mais celle-ci est particulièrement bête.

— Désolée, il fallait qu'on se débarrasse de Véronique. On ne pouvait pas l'amener ici. Il a fallu improviser... Permuter dans une cabine d'essayage des Grandes Galeries, c'était une bonne idée...

Mmmhh... Quand Superman se change en vitesse dans une cabine téléphonique, je suis sûr qu'il ne se les coince pas entre le caleçon et le collant...

Renée ne daigne même pas répondre. Elle s'installe au même rang que les trois spectateurs, de l'autre côté de l'allée.

Au bout de quelques minutes, elle voit qu'il s'agit d'un homme et de deux femmes. Elle reconnaît Saul Weisman au centre ; l'une des deux femmes doit être sa sœur, l'autre une assistante.

Patiemment, elle écoute les auditions.

Lorsque le dernier comédien a terminé, Saul Weisman s'étire, se lève et quitte sa place. Arrivé dans l'allée il aperçoit Renée, qui vient de se lever elle aussi.

Elle s'avance lentement vers lui, un sourire aux lèvres. Weisman est aussi grand qu'elle, il porte des lunettes rondes et ses cheveux, coupés court, sont très noirs, plus noirs qu'elle ne l'imaginait. Il reste pétrifié lorsque Renée lui tend la main et dit :

— Je viens voir la personne chargée de la production. Je voudrais lui proposer mes services...

— Vous... vous êtes comédienne ? demande Weisman d'une voix étrangement émue.

— Pas du tout ! répond Renée avec un rire clair. Je suis maquilleuse.

Elle réfléchit un instant et, devant le silence de Weisman, qui ne cesse de la dévisager, ajoute avec un sourire :

— Je suis aussi rompue à plusieurs arts martiaux et je peux assurer la protection rapprochée de vos vedettes, si vous en avez besoin...

Weisman ne bouge toujours pas. Embarrassée par son attitude, Renée penche la tête ; elle désigne les deux femmes qui viennent à leur tour de se lever et s'approchent d'eux.

— Je ne veux pas vous embêter, si vous voulez, je peux m'adresser à votre assistante ou à votre sœur...

— Paula n'est pas ici, répond Weisman, comme s'il se réveillait ou sortait du brouillard.

Il lui prend enfin la main.

— Saul Weisman. *Pleased to...* pardon ! Enchanté.

— *Pleased to meet you*, répond Renée, amusée.

La main de Weisman tremble.

— Je n'ai pas retenu votre nom.

— Je ne vous l'ai pas donné. Renée Twain.

Ils restent là, debout, sans se lâcher la main, et Renée a le sentiment que le tremblement de Weisman la gagne elle aussi. Ce n'est pas exactement un tremblement, mais un frisson. Une vibration. Qui ne fait que croître.

Héééééé ! Stop that [1] ! s'écrie René.

Renée sursaute.

— Excusez-moi, dit brusquement Saul en regardant sa montre. Je dois m'en aller. On va vous conduire à l'hôtel, ma sœur s'y trouve certainement. Vous avez bien fait de venir, nous n'avons pas encore commencé à embaucher...

— Alors, dit Renée en essayant de garder une contenance, j'espère que... je ferai l'affaire. Je serais très heureuse de participer à votre production, mais je n'ai jamais travaillé pour un film aussi important.

— Ce n'est pas bien grave, dit Weisman. Je suis sûr qu'elle prendra votre candidature en considération..., murmure-t-il avant de confier Renée à Julie, l'une de ses assistantes, et de s'éclipser.

What was that [2] ? demande René.

— Aucune idée, mon grand. Apparemment, je lui ai fait beaucoup d'effet.

Apparemment, il t'en a fait tout autant. Les murs de la chambre jaune se sont mis à trembler.

— Quoi ? !!!

— Venez, mademoiselle, dit Julie, je vais vous conduire à Miss Weisman.

Renée s'attendait à ce que Julie lui demande de la suivre en voiture, mais la jeune femme se contente de traverser la place.

— Saul et sa sœur logent à l'*Hôtel des Comédiens*, juste en face du Grand Théâtre, explique-t-elle.

Renée hoche la tête. L'acteur-réalisateur lui plaît de plus en plus. Elle est partagée entre l'admiration et la... vibration qu'elle a éprouvée au cours de cette brève rencontre, sans comprendre exactement pourquoi.

1. « Arrêtez ! »
2. « Qu'est-ce qui s'est passé ? »

C'est pas le moment de courir deux lièvres à la fois...

— Tais-toi ! Ne dis pas de conneries.

Je dis pas de conneries. C'est pas toi qui étais ici quand les cadres ont commencé à tomber des murs !

— Ce ne sont pas de vrais cadres, ni de vrais murs. Tout ça est dans notre tête. Qu'est-ce que tu me chantes ?

La vérité. Je ne sais pas ce qui s'est passé. Je te dis seulement ce que j'ai ressenti au moment où tu lui as serré la main. Comme un tremblement de terre. Ou un coup de foudre ?

Elle sait que René sourit en disant ça, mais elle le sent aussi très troublé.

— Mmmhh. Laisse-moi en décider, tu veux ? Il a du charme, c'est certain, et j'aime bien ses films mais je l'ai vu trois minutes et c'est un acteur. J'en ai côtoyé suffisamment pour savoir qu'ils peuvent être imprévisibles, immatures et insupportables devant un miroir. Alors, dans la vie...

OK. Mais j'aimerais que ce séisme ne se reproduise pas...

— Pareil pour moi.

Elle entre dans l'hôtel et suit Julie dans l'ascenseur. Arrivée au dernier étage, la jeune femme la conduit jusqu'à un petit salon, la fait asseoir sur un canapé et lui demande de patienter quelques instants.

Paula Weisman est plus jeune que son frère, mais tout aussi souriante. Ses cheveux courts, très noirs, sont humides.

— Je suis désolée, je sors de la douche. Saul m'a appelée pour me dire que vous vouliez nous proposer vos services. Vous êtes maquilleuse et... garde du corps, c'est ça ? demande-t-elle en la saluant.

— Oui, dit Renée qui s'est levée à son arrivée. Je dirige une agence de protection rapprochée avec mon frère.

— Ah, vous aussi vous travaillez avec votre frère... Pas facile d'être constamment l'un sur l'autre, hein ?

Renée éclate de rire.

— À qui le dites-vous !

Mmmhh... Elle me plaît beaucoup.

Paula invite Renée à s'asseoir et s'installe à l'autre bout du canapé.

— Vous avez déjà travaillé pour une production cinématographique ?

— Non, essentiellement pour la télévision et le théâtre, et presque toujours à Tourmens et dans la région. Je suis une provinciale...

— Ce n'est pas... *bien grave*, dit Paula en retenant un sourire.

Damn !

En se concentrant pour ne pas entendre son frère penser, Renée s'efforce de décrire ses expériences passées à la productrice. Paula l'écoute avec attention.

— C'est très intéressant, dit-elle enfin. Vous avez un itinéraire singulier.

Renée ne sait pas quoi répondre. Paula Weisman lui plaît beaucoup mais c'est à Saul qu'elle ne cesse de penser. L'effet que le metteur en scène a produit sur elle et sur René l'intrigue. Là-bas, dans la chambre jaune, René parle tout haut. Pas assez fort pour qu'elle entende ce qu'il dit, mais suffisamment pour que ça la gêne, comme lorsque deux stations de radio se superposent sur le même canal pendant un voyage en voiture.

— Voulez-vous que je vienne faire un essai quand vous aurez choisi des comédiens ? propose-t-elle.

— Ce serait merveilleux. Dimanche, je vais revoir les jeunes femmes que Saul a retenues. J'aurais voulu le faire dès ce soir, mais il y a ce grand débat public à la mairie sur les conditions de sécurité, toutes les chaînes locales le retransmettent. Je crois que ça préoccupe beaucoup les habitants de Tourmens. Demain soir, c'est l'inauguration du... *centre médiatique*, alors j'ai dû repousser l'audition finale au lendemain. Mais Saul pense avoir trouvé l'actrice idéale pour le principal rôle féminin...

— Marianne ?

— Ah, vous savez ? s'exclame Paula, ravie.

— J'ai lu l'entretien que votre frère a donné ces jours-ci aux journaux...

— Alors, vous avez sûrement une idée du personnage...

— Bien sûr ! Je la vois très bien : c'est la jeune fille dont un garçon tombe amoureux adolescent et dont il est amoureux toute sa vie. Tout ce que je voulais être ! ajoute-t-elle en riant.

— Ah ! Je suis ravie, dit Paula avec le même rire. Nous allons bien nous entendre !

Enthousiaste, elle se lève d'un bond, s'approche de Renée et lui prend affectueusement les mains.

Renée s'est levée elle aussi. À l'instant où leurs mains se touchent, elle est prise d'un grand vertige et, brusquement, se retrouve dans la jungle.

RETROUVAILLES

Quand Marc freine devant l'entrée des urgences, Lance et deux infirmiers l'attendent déjà avec un brancard.

— Je suis content que vous soyez là, dit Marc qui bondit hors de la voiture et ouvre la portière arrière tandis que les deux infirmiers se précipitent vers sa passagère.

— Raconte ! dit Lance.

— Elle est fébrile et déshydratée, probablement à cause d'une infection urinaire.

— Allons-y ! dit le vieux médecin en s'approchant de la voiture.

Marc le prend par le bras et l'écarte de la voiture.

— Une seconde, laissez-les faire, il faut que je vous parle avant que vous la voyiez.

Lance lève un sourcil.

— Je t'écoute.

— Personne ne doit savoir qu'elle est là. Officiellement, elle n'est... personne.

— Okay, répond Lance, qui n'en est pas à son premier secret. Ne me dis rien, comme ça je ne saurai rien et je ne pourrai en parler à personne.

Il se retourne vers les infirmiers, qui poussent déjà le brancard à travers la double porte des urgences.

— Il y a autre chose, dit Marc, très ému.

— Quoi ?

— C'est Clarisse.

Lance regarde Marc sans comprendre.

— Qui ?

— *Votre* Clarisse.

Le vieux médecin se précipite vers la double porte.

Six heures et trois litres de perfusion plus tard, Clarisse sort de sa torpeur, Marc et le vieux professeur à ses côtés.

— Papa ? C'est toi ?

— Oui, ma grande, murmure Lance, les yeux pleins de larmes.

Le visage de Clarisse se tord.

— Papa, j'ai mal au ventre...

— Attends, je vais arranger ça...

Il se lève, prend une seringue sur la table roulante près du lit et injecte la moitié du liquide blanc qu'elle contient dans la perfusion de sa fille.

Au bout de quelques secondes, le visage de Clarisse se détend.

— J'ai envie de dormir...

— Dors, ma puce, dors... Je suis là.

Il s'assied près de sa fille, lui prend la main.

— Qui t'a parlé d'elle ? demande-t-il à Marc quand Clarisse s'est assoupie.

— Vous. Quand j'étais attaché ici. Un soir, on avait passé deux heures à essayer de rattraper une adolescente qui avait pris des tricycliques, et qui en est morte. Le père vous a insulté, il a dit que si vous aviez eu une fille, vous ne l'auriez pas laissée mourir...

Le visage de Lance s'assombrit. Il hoche la tête sous le poids du souvenir.

— Quand il est parti, poursuit Marc, je vous ai entendu murmurer : « J'avais une fille et je l'ai perdue. » Plus tard, une des infirmières m'a expliqué que votre fille avait pris ses cliques et ses claques et qu'elle était partie.

— On s'était engueulés..., dit Lance en levant la tête. Je ne sais même plus pourquoi.

Trois heures plus tard, Clarisse ouvre les yeux. Son père ronfle doucement dans le fauteuil de la chambre. Marc, lui, n'a pas fermé l'œil.

— Comment vous sentez-vous ?

— Comme si un camion m'avait roulé dessus...

— Oui, ça arrive lorsqu'on a une fièvre à quarante et qu'on reste sans manger pendant plusieurs jours...

— Comment suis-je arrivée ici ?

— C'est moi qui vous ai amenée...

Clarisse le regarde.

— Qui êtes-vous ? On se connaît ?

— Non. Je m'appelle Marc Valène. Je suis médecin dans le canton de Play. Je vous ai trouvée dans un camp de Manouches. Enfin, ce sont eux qui vous ont trouvée... Ils vous ont veillée et ils vous ont donné à boire, sans ça vous seriez morte... C'est moi qui vous ai amenée ici. Je connais votre père...

Elle tourne les yeux vers le vieil homme endormi dans le fauteuil.

— On est quel jour ?

— Vendredi. Où étiez-vous passée ?

— Dimanche matin ? répète Clarisse, les yeux dans le vague, comme si elle revoyait cette matinée.

Elle pose sa main sur sa bouche.

— Frank !

— Qui ? Frank Zarma ? L'attaché ?

— Oui. J'ai passé la nuit de samedi avec lui. Dimanche matin, quelques heures après son départ, j'ai entendu la radio... Il est mort ?

Marc fait oui de la tête.

— C'est de ma faute...

— Non, vous n'y êtes pour rien.

— Comment le savez-vous ?

Il est à deux doigts de répondre : « C'est moi qui ai fait l'autopsie », mais se retient.

211

— On a conclu à une mort naturelle. Son cœur s'est arrêté, un point c'est tout. Ça aurait pu arriver n'importe quand. Et ça n'est pas arrivé pendant qu'il était *avec* vous. Alors...

Clarisse ne dit rien. Elle semble essayer de rassembler ses idées.

— Qu'est-ce qui m'est arrivé ?

— Je ne sais pas exactement, mais j'en ai une petite idée. Vous avez dû faire un ictus amnésique. C'est un phénomène bizarre, déclenché par une émotion forte. Pour vous, probablement ce que vous avez ressenti en apprenant la mort de Zarma. Ça vous a rendue incapable de fixer ce qui vous arrivait plus de dix minutes d'affilée. Et ça a duré près de vingt-quatre heures. Alors, vous avez dû rouler un peu à l'aventure... Des Manouches vous ont trouvée dans votre voiture, et recueillie, mais vous aviez de la fièvre...

Clarisse ne l'écoute plus. Une pensée la traverse et des larmes coulent sur ses joues.

— Je ne fais jamais ça...

— Quoi ?

— Les autres fois... Je les faisais dormir pour faire les prélèvements et voilà tout. Mais lui...

À présent, elle sanglote.

— Il était doux... Et respectueux... Il n'avait pas du tout l'intention de coucher avec moi... Moi, je ne sais pas ce qui m'a prise, au fil de la soirée j'avais de plus en plus envie de lui et je l'ai fait monter dans ma chambre, on a fait l'amour... et après, *je lui ai pris du sang...*

— Qui vous a demandé de faire ça ?

— Cette salope de Volkanova.

— L'assistante du maire ?

— Oui. C'est elle qui donne les ordres à la pétasse qui dirige l'agence...

— Je vois, dit Marc en se souvenant de ce que Véronique et Goldman ont raconté.

Il hésite une seconde, puis murmure :

— Depuis quand travaillez-vous pour l'AMAT ?

— Depuis un an... Dans d'autres villes... On m'a fait venir à Tourmens il y a trois mois.

— Et vous étiez la seule à pratiquer ces... prélèvements ?

212

— Non, une dizaine d'hôtesses de l'agence le font aussi. La plupart pour de l'argent, certaines sous la contrainte...

— Et vous, pourquoi acceptiez-vous... ?

Clarisse ne répond pas. Elle regarde son père endormi.

— Volkanova menaçait de s'attaquer à lui ?

Elle fait oui de la tête.

— Ça ne m'étonne pas. Le vieux a toujours emmerdé le maire... Ça m'étonne d'ailleurs qu'ils n'aient pas profité de vous pour faire pression sur lui...

— Elle ne m'a pas demandé tout de suite de faire les prélèvements. La plupart des filles servent d'escorte, c'est tout. Et puis, au bout de quelques semaines, elle propose à certaines d'entre elles de « fournir un service supplémentaire ». J'ai d'abord refusé, mais elle a menacé de s'attaquer à ma famille. Alors j'ai accepté. J'ai vite compris que c'était du bluff, qu'elle ne savait pas vraiment qui j'étais et qu'elle s'en moquait, mais j'ai eu peur qu'elle l'apprenne alors j'ai continué à obéir.

— Vous ne pouviez pas vous éclipser ?

Elle allonge son bras gauche vers lui, désigne une minuscule cicatrice ronde sur la peau à quelques centimètres du pli du coude.

— Ils m'ont implanté une puce, pour pouvoir me retrouver n'importe où...

— *Damn.* Alors, ils sont sûrement à votre recherche ! Ça fait cinq jours que vous avez disparu, pourquoi ne vous ont-ils pas encore retrouvée ?...

Il pose la main sur son bras pour rassurer la jeune femme.

— Je reviens.

Cinq minutes plus tard, il est de retour avec un plateau portant une seringue de liquide translucide, un scalpel, des pinces, des compresses, des strips autocollants stériles.

— Je vais vous enlever cette saloperie.

— Anastacia m'a dit que seuls les médecins de WOPharma savaient les enlever...

— C'est du bluff. Un crétin de généraliste comme moi peut le faire, dit-il ironiquement... Regardez.

Après avoir repéré l'implant sous la peau du bras, il injecte de l'anesthésique dessous, patiente quelques minutes puis incise la chair endormie de Clarisse et, au moyen d'une pince,

213

extrait de l'incision un implant en forme d'amande. Après avoir refermé la peau au moyen des strips, il sourit à la jeune femme.

— Ça va ?

— Je n'ai rien senti du tout. C'est vrai que c'était simple.

— Oui. *L'arme principale de ceux qui nous veulent du mal consiste à nous faire croire que nous sommes désarmés.*

— C'est du Sun Tzu ? demande Clarisse d'une voix faible.

— Non, répond Marc avec une moue d'appréciation. C'est du Valène, plus modestement.

Pour la première fois, un sourire apparaît sur le visage de Clarisse. Marc réfléchit un instant puis demande :

— Il va falloir me dire à qui vous avez apporté les prélèvements pratiqués sur Frank.

— Vous allez prévenir la police ?

— Oui.

— Pour qu'on m'arrête ?

— Pour qu'on vous protège.

210

LE MONDE PERDU

Ça ressemble à une jungle.

D'immenses arbres occupent presque tout le ciel.

Renée baisse les yeux. Le vent couche l'herbe sur ses pieds nus, elle porte un maillot de bain une pièce. Elle n'a pas froid, il fait bon. Il fait chaud. C'est l'été et elle ne se trouve pas dans la jungle, mais dans un jardin. Un grand jardin vert entouré d'un grand mur, tendu comme une toile. Et il y a des pierres alignées, là-bas, sur la droite, et des bâtiments en bois peints en rouge, en contrebas. Elle se retourne. Derrière elle se dresse une grande maison bourgeoise à la façade recouverte de lierre. Elle lève les yeux. Au-dessus de la maison, un clocher immense s'élève dans le ciel d'été. L'horloge marque 4 heures. Ou 5, peut-être. Elle n'arrive pas à voir. Ça change sans arrêt.

Elle n'est pas gênée de se retrouver presque nue, mais quand elle passe la main sur son corps, quelque chose l'étonne. C'est bien un corps féminin, et c'est bien son corps, mais elle n'a pas de poitrine, sa peau est lisse et juvénile. Et ce maillot ! Elle n'a pas mis ce maillot depuis qu'elle avait... qu'elle était...

Si ce jardin lui semble si grand, c'est parce qu'elle est une petite fille.

Elle est étonnée. De n'avoir ni peur ni mal. De ne ressentir que la chaleur de l'été dans ce jardin étranger.

Devant la maison, sur une terrasse pavée, la table est mise. Assiettes et couverts sont dépareillés, la nappe une sorte de patchwork de nappes toutes différentes – blanche, rayée, à carreaux, à fleurs. Sur la table il y a un siphon d'eau de Seltz,

217

un plat contenant une ratatouille rouge et vert luisante d'un filet d'huile, un grand bol de fruits coupés en morceaux, des petits pains faits à la main ; leur croûte dorée est parsemée de graines d'anis noir.

Elle entend un bruit familier. Une porte et une grande fenêtre sont ouvertes au rez-de-chaussée, au-delà de la table de jardin. Le bruit vient de là. Elle s'avance, sans aucune angoisse.

Elle entre dans un couloir frais et sombre. À gauche, une autre porte est ouverte. Elle entend un bruit de couverts dans un plat. Quelqu'un chantonne.

Elle penche la tête à l'intérieur.

C'est une cuisine.

Elle fait trois pas de plus et entre. Face à la fenêtre de la cuisine, un jeune homme remue une cuillère dans le grand saladier qu'il tient contre lui. Et il *croone*.

What a break... For Heaven's sake... How long has this been going on ?

Elle fait encore deux pas sur le carrelage frais. Brusquement, il cesse de chanter et, sans tourner la tête, s'adresse à elle.

— Je fais des œufs brouillés. Tu sais comment on dit « œufs brouillés » en anglais ?

— *Scrambled eggs.*

Il se retourne : son visage arbore un grand sourire. C'est un visage long et mince, couvert d'une acné mal masquée par une jeune barbe.

— Je te l'avais déjà dit ?

— Non, répond Renée.

Le regard du jeune homme devient interrogateur et son sourire perplexe.

— Tu l'as lu quelque part ?

— Non, répond Renée. Je le sais. Je parle anglais depuis...

Elle désigne son corps de petite fille.

Le sourire du jeune homme s'élargit.

— Je ne t'ai jamais vue comme ça. À qui cherches-tu à ressembler ?

— À personne, répond Renée. Je suis moi. Mais *toi*, qui es-tu ? Où sommes-nous ?

La main du garçon cesse de remuer la fourchette dans le saladier. Il s'approche, il tend lentement la main vers elle,

Renée a le sentiment que les doigts s'approchent de sa joue au ralenti et, à mesure qu'ils s'approchent, lentement, très lentement, elle a de plus en plus chaud, et elle se met à trembler. Elle entend la voix étrangement déformée du garçon dire *Mais je suis ton frè...*

Au moment où les doigts du jeune homme effleurent la joue de la petite fille, le saladier tombe sur le sol, Renée se retrouve brusquement dans le salon de l'hôtel tandis que Paula Weisman s'effondre à ses pieds.

PRÉPARATIFS (2)

Il fait nuit noire. Mangel contourne lentement le CCMMH. Personne en vue.

Il se gare derrière deux conteneurs destinés à évacuer les gravats. Puis, sortant de son véhicule une lampe de poche à la main, il se dirige vers l'arrière du bâtiment.

Soudain, il entend du bruit derrière lui ; il glisse la main dans la poche de sa veste, se retourne, et braque sa torche en direction du bruit.

— Ne soyez pas si nerveux, mon vieux ! dit une voix.

— Ah, c'est vous, Sark ! Vous ne devriez jamais vous approcher sans prévenir.

— Je ne devrais jamais m'approcher de vous, un point c'est tout. Vous êtes beaucoup trop paranoïaque à mon goût !

— Je ne peux pas me permettre la moindre erreur, répond Mangel d'une voix terrorisée.

— Vous avez les fichiers ?

— Bien sûr que j'ai les fichiers ! Je ne viendrais pas à cette réunion sans les avoir. Je ne suis pas fou.

— Non, dit Sark. Mais vous êtes stupide. Qu'est-ce qui vous a pris d'aller faire une conférence aux étudiants en médecine ? Vous voulez absolument vous faire repérer ?

— Le doyen est un de mes amis. On a fait l'internat ensemble. Il a besoin de mes appuis chez WOPharma et j'ai besoin du sien pour avoir un poste à la fac. C'était un échange de bons procédés.

— Eh bien, ce n'est pas très réussi. À cause de vous, cette... harpie, fait-il en désignant le bâtiment du CCMMH, est encore plus hystérique qu'avant.

— Ne m'en parlez pas. C'est moi qui ai hérité de sa belle-fille. Elle l'a fait hospitaliser à Saint-Ange, dans un de *mes* lits. À mes frais, bien sûr...

— Pour en faire quoi ?

— Pour la garder là sous sédatifs. En attendant qu'elle nous dise exactement ce qu'elle sait.

Mangel pose l'index sur la cravate de Sark.

— Heureusement, dit-il sur un ton méprisant, ce sera à *vous* de faire ce sale boulot.

Sark ne répond pas. Il toise la silhouette de Mangel. Sans un mot, il se dirige vers le bâtiment. Mangel lui emboîte le pas.

Un escalier s'enfonce dans le sol à l'arrière du centre. Les deux hommes descendent jusqu'à une porte blindée sans mécanisme d'ouverture. Sark passe l'avant-bras devant la porte, qui s'efface devant lui. Ils entrent tous deux et se retrouvent dans une cabine d'ascenseur. Sark fait de nouveau un mouvement du bras devant un sigle imprimé sur la paroi latérale de la cabine. La porte se referme et l'ascenseur se met à descendre.

Quelques secondes plus tard, ils pénètrent dans un sous-sol illuminé. Un homme posté face à la cabine les salue d'un signe de tête. Il est vêtu d'un complet veston, porte une oreillette, se tient les jambes légèrement écartées. Ses mains sont jointes devant sa braguette. On dirait un mafioso à un enterrement.

Les deux arrivants ne sourient pas en le voyant. Ils empruntent le couloir et marchent jusqu'au bout. Arrivés devant la dernière porte, Sark se retourne vers Mangel et dit :

— Surtout, pas de conneries. Ne dites rien. Laissez-moi parler, sauf si je vous fais signe. Compris ?

Mangel acquiesce en soupirant.

Sark passe le bras devant la porte pour l'ouvrir et entre.

Dans la salle de contrôle, trois techniciens en blouse blanche sont penchés sur une batterie d'ordinateurs. Derrière eux, sur une estrade, un petit homme et deux femmes – une grande blonde et une rousse – observent l'immense écran qui recouvre le mur du fond. Installée dans un fauteuil pivotant, la femme rousse tient dans ses bras un persan blanc hideux. La blonde, qui n'est autre qu'Anastacia Volkanova, se tient debout

221

près de l'homme, dans la même position que le mafioso de l'ascenseur.

— C'est pas trop tôt ! crache Francis Esterhazy en se retournant vers les deux hommes.

— Est-ce que tout est prêt ? demande la femme rousse sans quitter l'écran des yeux.

— J'ai analysé les derniers résultats la nuit dernière, dit Sark. Le programme est opérationnel.

Il se tourne vers Mangel. Le cancérologue sort de son veston une clé USB.

La femme rousse fait signe à l'un des techniciens, qui se lève pour prendre la clé des mains de Mangel et se précipite pour la brancher sur un ordinateur.

Sur le grand écran apparaît une cascade de diagrammes et de chiffres.

— Bien, dit Esterhazy, vous savez que j'ai pas de temps à perdre, alors expliquez-moi tout ça vite fait.

La femme rousse fait signe à Sark de parler.

— La première partie de l'opération consistait à étudier les effets d'une néoprotéine synthétique développée par WOPharma depuis vingt ans, à partir de deux médicaments retirés du marché, le diallylestrol et la ghrémuline. Ils avaient beaucoup d'effets indésirables, mais certains tests montraient des effets très intéressants, de nature épigénétique en particulier...

Le visage d'Esterhazy se fripe. Sark soupire, puis poursuit.

— Des effets sur la transmission des caractères acquis. En clair, les cellules traitées par ces médicaments transmettent le souvenir de ce qui leur est arrivé à leur descendance en même temps que le bagage génétique contenu dans leur ADN.

Le visage d'Esterhazy reste fripé. Sark cherche une analogie plus simple.

— Si on traite des athlètes par ces médicaments en quantité appropriée, leurs enfants seront tous des athlètes. Si on traite des femmes vaccinées contre le VIH, elles transmettront l'immunité au VIH à leurs enfants.

Le visage d'Esterhazy s'éclaire.

— Évidemment, dit la femme rousse d'une voix nonchalante en caressant son persan, pourquoi attendre que ces mutations bénéficient à nos enfants ou à nos petits-enfants ?...

222

— ... c'est pourquoi, poursuit Sark, nous avons étudié les effets de l'association diallylestrol-ghrémuline – que nous avons rebaptisée « Néoprotéine DG » – à des organes, et non à des corps entiers.

— Ah, fait Esterhazy, qui ne semble pas mieux comprendre.

— Grâce à un protocole mis au point ces dix dernières années, poursuit Sark en tentant de garder son calme, nous sommes parvenus à modifier *in vitro* le génome de plusieurs organes vitaux – cœur, reins, poumons, foie – de manière à les rendre résistants à la plupart des maladies infectieuses, aux agents cancérigènes. Mais nous savons que, dans certaines conditions, la néoProDG est capable de développer les organes restés au stade embryonnaire – comme des seins chez un homme, par exemple, ce qui n'a pas grande utilité mais constitue une voie de recherche passionnante... La néoProDG peut aussi ralentir le vieillissement neuronal et favoriser la régénération des tissus cérébraux. Sur ce point, nous en sommes cependant encore au stade expérimental. Son effet le plus prometteur est de « désactiver » le processus naturel de vieillissement. Autrement dit, de lever le verrou de sécurité qui, dans notre génome, fixe les limites de la vie humaine à cent vingt-cinq ans environ.

Les yeux d'Esterhazy se mettent à briller.

— *Verry interrresting...* Cela signifie donc que vous pouvez remplacer les principaux organes d'un individu par des organes traités de manière à devenir presque indestructibles...

— En théorie, oui. Évidemment, il est difficile de savoir combien de temps ces organes survivent...

— Vous avez déjà mis en place des organes traités sur des sujets vivants ?

— Oui, mais il y a un problème. Ils ne peuvent être greffés qu'à des organismes dont l'histocompatibilité est très proche. Plus proches que ce qui est fait habituellement dans les transplantations. Sinon, ils les rejettent. Mais les résultats seraient bien meilleurs si l'on traitait le receveur *après* lui avoir greffé un organe...

— Qu'est-ce que ça veut dire ?

La femme rousse lève la main pour faire taire Sark.

— Si le premier magistrat d'une ville voulait bénéficier d'une paire de testicules indestructibles, par exemple, il suffirait de les prélever sur une personne aux caractères tissulaires très proches des siens... et de lui administrer la ProDG ensuite

Le visage d'Esterhazy s'éclaire.

— Je vois. D'où la nécessité de recenser le bagage génétique du plus grand nombre... C'est pour cela que vous m'avez proposé ce *deal*...

— Précisément. Le fichier informatisé de Tourmens est le plus développé de France...

— Oui ! dit Esterhazy, soudain exalté. Nous avons les ADN de tous les personnels municipaux, tous les enfants scolarisés dans un établissement public ou privé de la ville, des prostituées recrutées par Sandra et de leurs clients – vive les préservatifs féminins ! Pour les prélèvements de sperme, c'est impeccable, ce truc-là... –, des Manouches autorisés à séjourner dans la commune, des patients du CHU Sud...

— Mais pas de ceux de l'Hospice, grince la voix de la femme rousse.

— Le problème sera bientôt résolu. N'est-ce pas, Anastacia ?

— Oui, monsieur le mairrrrrre...

— ... Et bientôt, de tous les visiteurs de ce centre... À ce propos, ma chère Bénédicte, remarque le maire de Tourmens, je ne comprends pas encore très bien pourquoi il est nécessaire de... pratiquer ce dépistage génétique sur l'auditoire du gala d'inauguration. Il s'agit tout de même de membres de la jet-set, et non de... sujets tout-venant...

Bénédicte Beyssan-Barthelme, présidente du directoire des laboratoires WOPharma Inc., se lève et, sans lâcher l'immonde persan qu'elle tient entre ses mains, descend les trois marches de l'estrade d'où elle contemplait la salle de contrôle. Elle est vêtue d'un tailleur-pantalon blanc. Sa peau est bronzée. Ses cheveux d'un roux flamboyant.

— Vos invités de samedi sont nos futurs clients, mon cher Francis. Dresser leur carte d'identité génétique et les soumettre à notre petite... expérience (elle lui adresse un clin d'œil) nous permettra de repérer très vite quelles personnes dans la population ont un profil *compatible*, le jour où nous aurons besoin d'elles...

— Je me demandais seulement s'il n'aurait pas mieux valu mettre certains invités au courant... Les amis les plus proches...

— Et courir le risque d'une fuite et retrouver l'information dans un hebdomadaire satirique ou sur un site public ? Certainement pas ! Vous savez à quel point je suis stricte en matière de sécurité.

Elle regarde fixement Mangel.

— Même lorsque cela concerne mon propre entourage, ajoute-t-elle sur un ton sinistre.

Elle se penche et dépose le persan sur le sol. L'ignoble matou miaule brièvement puis disparaît derrière l'estrade en trottinant.

— Les données que nous allons recueillir samedi sont indispensables à la mise en route de la troisième étape du projet.

Elle s'approche d'Esterhazy, retire délicatement un cheveu du col de sa veste et regarde le petit homme droit dans les yeux.

— Bien entendu, il manque encore *un* élément indispensable...

Esterhazy se raidit. La P-DG de WOPharma sait que le maire n'aime pas être dominé, ni par la taille, ni par la personnalité ; et encore moins par une femme. À quelques mètres de là, Anastacia Volkanova jette au duo un regard meurtrier.

— Nous l'aurons, répond le maire en bombant le torse. N'ayez crainte.

— Quand ? demande son interlocutrice.

— Ce soir même.

UNE PORTE SUR L'ÉTÉ

What was that ?
— Je n'en sais rien ! s'écrie Renée.

Le cœur battant, elle s'agenouille au côté de Paula Weisman évanouie et, en prenant soin de ne pas toucher ses mains et ses bras dénudés, pose l'oreille sur sa poitrine.

— Elle a dû faire un malaise vagal. Son cœur est très lent, mais il bat.

Qu'est-ce qui s'est passé, exactement ? Et pourquoi s'est-elle retrouvée avec moi dans la chambre jaune[1] ?

— Quoi ? demande Renée. Qu'est-ce que tu racontes ?

Son frère n'a pas le temps de répondre. Paula Weisman vient de reprendre ses esprits. Elle regarde autour d'elle, effrayée, puis brusquement semble retrouver le contrôle d'elle-même. En évitant elle aussi de toucher les mains de Renée, elle se remet debout, s'époussette et dit tristement :

— Je suis désolée... Ça m'arrive de temps à autre quand je me lève trop vite.

Bouche bée devant ce rétablissement soudain et encore ébranlée par son transport brutal dans un autre monde, Renée ne dit rien.

---

1. Si vous avez déjà oublié ce qu'est la chambre jaune, ce n'est pas grave. Il suffit de faire « Pause », « Menu », « Choix des chapitres » et « Page 38 » pour vous rafraîchir la mémoire.

Elle fait comme si de rien n'était, mais elle n'a pas pu se rendre compte de rien ! Elle ne peut pas avoir oublié qu'elle m'a vu ! Elle était ici...

Non, pense Renée tremblante, elle n'a pas pu l'oublier. Mais elle ne peut pas en parler et moi, je ne peux pas évoquer le grand jardin, la cuisine, le garçon qui faisait des œufs brouillés...

Quoi ?

— Plus tard, répond-elle tout haut puis, s'adressant à Paula Weisman : Vous êtes sûre que ça va aller ?

— *Absolutely.* Ne vous faites pas de mouron...

Damn !

— Okay, murmure Renée, gênée et perplexe. Quand est-ce que je peux venir faire un essai de maquillage ?

Paula réfléchit.

— Eh bien, je dois passer en revue les candidates dimanche après-midi. Voulez-vous me retrouver ici vers 14 heures ? Nous irons les écouter ensemble...

— Bien sûr, répond Renée, surprise mais ravie.

Résistant à l'impulsion de se serrer la main, elles s'écartent l'une de l'autre avec un sourire gêné. Tandis que Paula regagne sa chambre, Renée se dirige vers l'escalier.

Une fois dehors, elle marche rapidement jusqu'à sa Mini, ouvre la portière précipitamment, s'engouffre dedans et s'enferme comme pour se protéger d'une agression.

Okay ! Que s'est-il passé ?

— Je ne sais pas ! Ça ne m'est jamais arrivé.

Raconte !

Renée lui décrit sa courte mais impressionnante incursion dans la maison d'été. Quand elle termine son récit, elle entend René dire :

Tout ça a duré combien de temps ? Je veux dire : tu as eu la sensation que ça durait combien de temps ?

— Je ne sais pas... Plusieurs minutes.

Oui. Bien plus que la fraction de seconde entre le moment où Paula a pris tes mains et celui où elle s'est écroulée.

L'angoisse étreint la gorge de Renée.

— Qu'est-ce que... Qu'est-ce que tu as ressenti, toi ? Où étais-tu ?

J'étais avec toi, tu sais bien. Je te laissais conduire, mais j'étais là. Jusqu'au moment où elle t'a pris les mains. À ce moment-là, je me suis brusquement retrouvé dans la chambre jaune. Paula, ou du moins une femme qui lui ressemblait mais plus vieille de vingt ans au moins, est apparue au beau milieu de la pièce. Évidemment, elle ne comprenait pas ce qu'elle faisait là, et moi non plus. Elle a regardé autour d'elle et elle s'est mise à crier. J'ai voulu la calmer, je me suis approché, je l'ai prise par les bras, elle m'a regardé fixement et pouf ! elle est tombée...

— Tu l'as *prise* par les bras ? Tu as *touché* une femme qui s'est matérialisée dans notre tête ? Et qui *criait* ?

Oui.

— Qu'est-ce qui se passe ? s'écrie Renée, de plus en plus angoissée. Qu'est-ce qui nous arrive ? C'est le commentaire de ce crétin de psy qui nous fait dérailler complètement, c'est ça ? Non seulement il veut nous faire croire que l'un de nous n'existe pas, mais en plus il va arriver à nous convaincre que l'autre est fou !

Tu n'es pas folle, et j'existe autant que toi. Il s'agit d'autre chose, et je crois savoir quoi...

— Alors, dis-le-moi ! Tu sais toujours ce qui ne va pas. *Dis-moi ce qui ne va pas chez nous !*

Posément, il le lui dit. Très vite, Renée se calme. Ce que son frère lui explique ne l'étonne pas. C'est comme si elle l'avait déjà su, sans pouvoir le définir. Quand il a terminé, tous deux restent silencieux un long moment.

— Okay, dit-elle enfin. Et que fait-on pour s'assurer que cette stupéfiante explication tient debout ?

On attend, petite sœur. On ne bouge pas et on attend.

— Ici ? Dans la voiture ?

Yep.

DESCENTES

Tourmens Info, journal de la soirée

Aujourd'hui, en début d'après-midi, les services de police judiciaire ont procédé à deux perquisitions sur commission rogatoire. La première dans les bureaux de l'AMAT, Agence municipale d'accueil de Tourmens. La seconde au laboratoire d'analyses biologiques Tourmens-Centre. Le procès-verbal signé par le juge Watteau, magistrat bien connu du public pour avoir instruit plusieurs affaires politiquement très chaudes depuis 2001, précise que ces perquisitions étaient menées dans le cadre de l'enquête sur la mort soudaine de M. Frank Zarma, attaché consulaire du Bas-Yafa à Tourmens. D'après l'autopsie, M. Zarma est décédé de causes naturelles, mais les circonstances de sa dernière nuit semblent suffisamment équivoques pour justifier un complément d'enquête.

Des ordinateurs et des fichiers papiers ont été saisis à l'AMAT ; des ordinateurs, des fichiers et des dossiers informatiques ont été saisis au laboratoire Tourmens-Centre. Plusieurs salariés de l'une et de l'autre devraient être convoqués incessamment par le juge d'instruction mais à l'heure où nous parlons, la police n'a procédé à aucune interpellation.

Si le laboratoire d'analyses biologiques Tourmens-Centre est une entreprise privée, l'AMAT est en revanche une officine publique, financée par la municipalité. Le maire, que nous avons tenté de joindre ce matin, a pour l'instant refusé de commenter cette perquisition. Son directeur de cabinet a cependant publié un communiqué selon lequel M. Francis Esterhazy laissait à la justice le soin de mener son enquête et renouvelait toute sa confiance à la directrice de l'AMAT, Mme Saltieri.

CH Tourmens Nord, vendredi soir

Liliane Roche et Pierre Goldman sortent de la chambre de Clarisse et gagnent le bureau du professeur Lance. Marc est avachi dans le vieux canapé défoncé, tandis que le vieux praticien lit à son bureau.

— Merci de nous avoir laissés l'interroger, dit Liliane.

— J'ai envie qu'elle soit mise à l'abri de ces salauds...

— Moi aussi, sourit Valène.

— Mais je ne suis pas sûr qu'elle vous ait appris grand-chose.

— On sait au moins que la Volkanova était dans le coup..., remarque Goldman.

— Oui, dit Liliane. Mais il va falloir le prouver. Tout ce qu'elle nous a raconté est sujet à caution tant que nous n'avons pas mis la main sur un document écrit ou une preuve matérielle...

— Vous n'avez qu'à aller perquisitionner à la mairie ! lance Marc.

— Mouais, fait Liliane. Je ne suis pas sûre que le juge soit tout à fait convaincu, docteur.

— Watteau ne nous croira pas sur parole ? Je croyais que c'était un magistrat intègre !

— C'est précisément pour cela qu'il ne croit personne sur parole. Il va d'abord nous falloir interroger toutes les employées de l'AMAT, les unes après les autres. Si plusieurs d'entre elles mentionnent l'assistante du maire de manière équivoque, nous aurons suffisamment de présomptions pour aller lui rendre visite. Mais n'oubliez pas que Clarisse prend énormément de risques en nous parlant. Et elle ne l'a fait que parce qu'elle se sentait en sécurité. Ça ne sera peut-être pas le cas de ses collègues...

— Et la perquisition au labo, qu'est-ce qu'elle a donné ? demande Lance.

— Beaucoup de flacons et de tubes numérotés, des fichiers cryptés qui résistent à nos logiciels, mais pas de noms, pas de fiches manuscrites...

Marc s'étire dans le canapé.

— Rien sur Zarma non plus ?

— Non, répond Goldman. On ne sait pas pourquoi il intéressait Volkanova et Sark...

— Tiens, vous l'avez retrouvé, ce tordu ?

— Non. Il a quitté le labo hier après-midi sans dire quand il revenait. Il n'est pas chez lui non plus.

— Les rats quittent le navire...

Lance retire ses lunettes et se frotte les yeux.

— Est-ce que vous avez la moindre idée de ce qui se tramait ? Une agence municipale fait prélever du sang à des hôtes de marque et le confie à un labo. Pour quoi faire ?

— Et surtout, quel rapport avec nos cadavres éviscérés..., murmure Marc.

— Vous pensez qu'il y a un lien entre les deux affaires, docteur ?

— J'en suis certain, capitaine. Et je pense que le soudain intérêt d'Esterhazy pour René n'est pas non plus étranger à tout cela. Un de nos amis communs dit souvent qu'à Tourmens, il n'y a jamais de coïncidences...

— Il n'y a que des énigmes... et des solutions... Oui, je connais ça par cœur...

— D'ailleurs, où est-il passé, René ? Vous avez eu de ses nouvelles, depuis hier ?

— Non, dit Goldman. Véronique m'a appelé tout à l'heure. René lui a faussé compagnie en fin d'après-midi... (Il se racle la gorge, gêné.) Aux Grandes Galeries.

— Quel meilleur endroit qu'un grand magasin pour échapper à la surveillance d'une femme, effectivement ! ironise sa supérieure.

— Appelez sa sœur, dit Marc avec un clin d'œil complice à Liliane. Elle devait aller proposer ses services à l'équipe du film qui va se tourner en ville, mais elle sait sûrement où il se trouve...

Liliane compose le numéro du portable de l'agence Twain.

— C'est leur boîte vocale... René, Renée-*e*, ici Liliane Roche. J'aimerais bien... nous aimerions savoir où vous êtes.

Nous avons perquisitionné l'AMAT ainsi qu'un laboratoire de la ville qui semble impliqué dans l'affaire Zarma. Ça va sûrement énerver notre ami Esterhazy. Mieux vaudrait ne pas vous approcher de la mairie dans les jours qui viennent...

Avenue Magne, au même moment

De la Mini, Renée voit parfaitement l'entrée de l'hôtel. Paula Weisman en sort vêtue d'un jean, d'un blouson de cuir et d'une casquette de base-ball baissée sur ses yeux.

On la suit.

— Tu es sûr ?

Certain. Si j'ai vu juste sur le manège de nos amis les Weisman, je suis prêt à parier qu'elle ne va pas loin.

Renée sort de son sac un rectangle métallique qui ressemble à un étui à cigarettes et son téléphone cellulaire. Elle écoute le message de Liliane en souriant. Puis elle quitte la Mini pour se mettre en filature.

Au bout de quelques minutes, elle voit Paula gravir un escalier familier.

— Elle monte vers la place de la mairie...

Mmmhh... Le grand débat public sur la sécurité qu'a organisé Esterhazy. Il a pas lieu ce soir, dans la salle du conseil municipal ?...

— Yep, dit Renée en grimpant quatre à quatre le grand escalier de pierre.

Au moment où elle arrive sur le parvis de la place de la Mairie, elle aperçoit la silhouette de Paula emprunter une petite rue. Elle se met à courir, de peur de la perdre de vue dans le dédale du vieux Tourmens.

Mais Paula s'arrête à l'entrée d'une maison ancienne située à l'arrière de l'hôtel de ville. Elle compose un digicode, pousse la porte et entre.

Dépêche-toi !

Renée court jusqu'à la porte et la retient avant qu'elle ne se referme. Elle compte jusqu'à dix avant d'entrer.

Elle voit un couloir faiblement éclairé. Au fond, la silhouette de Paula, étrangement différente, entre dans un ascenseur.

— *Damn.*

Prends l'escalier.

La porte palière s'ouvre sur un escalier de pierre en colimaçon.

— *Up or down ?*

Down, of course [1].

L'escalier de pierre fait trois tours sur lui-même avant de déboucher sur une unique porte, une sortie de secours apparemment. Renée la tire délicatement. Elle entend l'ascenseur s'ouvrir. La silhouette coiffée d'une casquette de base-ball s'éloigne et se plante devant une porte. Il y a un flash lumineux, la porte s'ouvre et Paula disparaît.

— Qu'est-ce qu'elle fabrique ? Elle rend visite à une vieille tante ?

Je suis aussi perplexe que toi. Elle est entrée aussi facilement que si elle était chez elle...

— Ta théorie prend du plomb dans l'aile, on dirait...

Allons voir ça de plus près.

— Je ne crois pas qu'on va nous laisser entrer...

Allons voir, te dis-je.

Elle entre dans le sous-sol et s'avance à pas de loup dans le couloir. La porte que Paula vient de franchir est encore ouverte. Renée s'approche. C'est un autre ascenseur. Et il est vide. Surprise, elle entre dans la cabine. Qui se referme sur elle.

La cabine se met à descendre.

— C'était vraiment trop facile !

·La voix est désagréable et familière. Renée se retourne et examine les parois. Une caméra est fichée dans l'un des coins supérieurs de la cabine. Un petit haut-parleur installé dessous déverse à présent un rire démoniaque.

Damn, damn, damn !

L'ascenseur s'arrête et la porte s'ouvre sur une salle lumineuse. Deux colosses en costume noir, crâne rasé, écouteur fiché dans une oreille, se tiennent debout face à la porte, les mains croisées devant leur braguette.

Entre eux, se dresse un individu vêtu d'un jean, d'un blouson de cuir et coiffé d'une casquette de base-ball. Mais ce n'est pas Paula Weisman.

---

1. « En haut, ou en bas ? » « En bas, bien sûr. »

Soudain, des mains se saisissent de Renée. On lui fait une piqûre au bras ; sa tête se met à tourner. Elle titube, sent ses genoux fléchir ; les mains qui l'ont immobilisée la soutiennent jusqu'à ce qu'elle repose sur le sol, incapable de bouger.

La silhouette vêtue d'un blouson retire sa casquette et se penche vers Renée.

— Faites de beaux rêves, Miss Twain, murmure Francis Esterhazy.

211

SOIRÉE DE GALA

TéléTourmens Canal 13 :
« Power to the Pipeulz », animée par Léonard Karib
Samedi 4 septembre 2011

Mesdames, mesdemoiselles, bonsoir ! Ici Léonard Karib pour une édition très spéciale, en ce samedi, de « Power to ze Pipeulz ». C'est en effet ce soir que va se dérouler la grande soirée de gala du Centre culturel multimédiatique Michel-Houellebecq. Toute la jet-set sera là pour honorer la mémoire du grand écrivain disparu et inaugurer le plus grand centre de manifestations et de spectacles de France. Je m'approche du tapis rouge sur lequel vont défiler les invités de cette prestigieuse soirée...

Le Tourmentais Libéré :
édition spéciale du lundi 6 septembre 2011

Tout semblait prêt pour la soirée de gala du CCMMH. Tout n'était pas terminé, loin de là, mais la salle de spectacle de mille cinq cents places allait accueillir les invités de marque venus de l'Europe tout entière à l'invitation de Francis Esterhazy, député-maire de Tourmens. La municipalité n'avait lésiné ni sur la logistique (tous les hôtels haut de gamme de Tourmens étaient réservés depuis six mois), ni sur les occasions de briller (les droits d'image du gala et la retransmission en direct avaient été négociés à prix d'or), ni sur le personnel et les équipements destinés à faire de cette soirée l'une des plus prestigieuses de l'année, en France et probablement en Europe. L'entrée était bien sûr réservée aux invités de marque, mais le grand public pouvait espérer assister au spectacle grâce à sa diffusion – en léger différé – sur TéléTourmens **Canal** 13 mais aussi sur les écrans géants que Francis Esterhazy avait tenu à faire installer un peu partout en ville : sur la grand-place de Tourmens, au milieu de l'université, en bord de Tourmente et, bien sûr, sur l'esplanade qui s'étend devant le CCMMH.

Bien entendu, l'opposition s'était vivement élevée contre les « dépenses inconsidérées du maire dans le contexte économique et social actuel ». Au cours d'une grande réunion publique consacrée à la sécurité municipale, la veille, plusieurs représentants de l'opposition au maire avaient fait part de leurs inquiétudes face aux réactions de la population des quartiers nord. Rappelons en effet que le CCMMH n'a pu être construit qu'au prix de nombreuses expropriations et que les travaux ont beaucoup gêné les soignants et les malades de l'Hospice, l'antenne du CHU située non loin de là. Plusieurs manifestations, vivement réprimées par les forces de l'ordre, ont eu lieu sur le chantier du Centre Michel-Houellebecq pendant les travaux. On était en droit de s'inquiéter de la présence d'agitateurs ou de casseurs dans la foule des curieux qui ne manqueraient pas de s'amasser à l'entrée au soir du gala d'inauguration.

Au cours d'une courte allocution finale, délivrée à l'issue d'un meeting au cours duquel il brilla, comme à son habitude, par son omniprésence, le maire Esterhazy a déclaré : « La sécurité des artistes et des invités sera entièrement assurée, sans pour autant compromettre la possibilité pour un public discipliné... *discipliné* [NDLR : il a bien utilisé le mot « discipliné » deux fois] d'assister au spectacle. » Puis, sans répondre à d'autres questions, le maire a laissé au responsable de la sécurité de la mairie le soin de détailler les précautions prises pour cette soirée : plusieurs escadrons de gendarmes avaient reçu l'ordre d'encadrer strictement les abords du Centre Michel-Houellebecq pour prévenir tout débordement pendant la journée et la nuit du gala. Six compagnies de CRS du Centre-Ouest resteraient par ailleurs stationnées non loin, le long des berges de la Tourmente afin de pouvoir intervenir très rapidement en cas de débordement populaire incontrôlé.

Le maire de Tourmens semblait ignorer – nous utilisons ce mot dans le double sens de « méconnaître » et de « traiter par le mépris » – le mot d'ordre lancé il y a un mois par les associations de quartier de Tourmens-Nord et appelant la population à boycotter purement et simplement le gala d'inauguration. Le mot d'ordre, diffusé par tracts dans les quartiers et par le biais d'un site internet qui a reçu, au cours des semaines, des centaines de milliers de visiteurs, déclarait en particulier ceci :

« Cette inauguration est pour Francis Esterhazy une manière d'apparaître comme une personnalité de stature européenne de la culture et de la sécurité. Ne lui donnons pas cette satisfaction. Le samedi 4 septembre 2011, boycottons massivement ce qui n'est autre qu'une débauche scandaleuse de moyens au seul profit des happy few les plus riches de Tourmens et de leurs amis. »

Le pari était risqué, quand on connaît la popularité du maire et de sa politique « travail et loisirs » parmi la population tourmentaise de classe moyenne. Mais n'oublions pas que le CCMMH est installé rive gauche, en plein quartier nord, et que la grande majorité des Tourmentais de la rive droite n'y mettent jamais les pieds de peur – à raison ou à tort – de s'y faire agresser. Contre toute attente, dès le début de l'après-midi, les forces de l'ordre rapportaient qu'un calme tout à fait inhabituel régnait dans un périmètre de trois cents mètres autour du Centre Michel-Houellebecq. De fait, seuls les camions chargés des deux tonnes de petits-fours et de boissons destinés à la restauration des invités avaient demandé à franchir les cordons de sécurité.

Le gala devait commencer à 20 h 45. À 20 heures, l'esplanade publique située devant le CCMMH était presque vide. Et lorsque les limousines commencèrent à déposer les convives au bout du tapis rouge, elles le firent devant un groupe important de photographes et de caméramen mais dans un silence impressionnant : la foule de curieux habituellement présente à ce type de manifestation n'était, tout simplement, pas venue.

Dans ces conditions, il était clairement impossible de prévoir les dramatiques événements qui allaient suivre.

LA CLINIQUE DE LA SÉRIE NOIRE

— Ça commence à devenir une habitude, dit Pierre Goldman en faisant freiner bruyamment son véhicule sur le gravier de la clinique Saint-Ange.

— Quoi donc ? demande Véronique Storch en débouclant sa ceinture.

— De perquisitionner cette clinique. Il y a un an[1], je suis venu y arrêter Gérard Mangel, embarquer ses dossiers et son matériel.

— Ce que je ne comprends pas, c'est qu'on l'ait laissée ouverte...

— Il n'était pas copropriétaire de la clinique. Il pratiquait ses saloperies sans l'aval du conseil d'administration. Les membres de celui-ci ont d'ailleurs été relaxés...

— Ça ne les a pas empêchés d'embaucher un de ses cousins, dit-elle en sortant du véhicule.

— À l'époque, ils n'avaient aucune raison de se méfier de lui.

— Pourquoi revient-on perquisitionner ici ? demande l'inspecteur stagiaire qui s'extirpe du siège arrière. Il est maigre comme un clou et blanc comme un linge.

Goldman lance un petit coup de poing amical sur l'épaule du stagiaire pour le réconforter.

— Désolé, mon garçon, j'aurais dû te dire que je conduis vite... Pour répondre à ta question : le docteur Jérémy Mangel

1. À la fin de *Un pour deux*, la première saison de *La Trilogie Twain*.

est convoqué comme témoin assisté dans le cadre de l'enquête sur les activités illégales de l'AMAT et du docteur Sark.

— Pourquoi ? Sark est un cousin des Mangel ? demande Véronique, facétieuse, en faisant signe au véhicule des techniciens de l'identité judiciaire de se garer derrière leur voiture.

— C'est plus bête que ça : dès que Sark recevait ses prélèvements de la main des hôtesses de l'AMAT, ces deux crétins n'arrêtaient pas de se passer des coups de fil. De là à penser que Mangel était dans le coup, lui aussi, il n'y avait qu'un pas, que le juge Watteau a franchi sans hésiter.

Tous deux grimpent les marches du perron, leur stagiaire sur les talons.

— J'ai entendu dire que le procureur n'est pas ravi qu'on revienne perquisitionner ici..., murmure Véronique.

— Exact. Watteau m'a appelé pour nous dire de faire vite, avant qu'il ne soit dessaisi du dossier...

— Le juge risque d'être dessaisi ? demande le stagiaire.

— On confie toujours les affaires délicates à Watteau. Et le plus souvent il découvre qu'elles sont encore plus épineuses qu'on ne le pensait...

— ... et que des huiles de la bonne société tourmentaise sont impliquées...

— ... ce qui fait qu'on finit par la lui enlever...

— Mais en général, il se débrouille toujours pour nous envoyer perquisitionner à temps...

Suivis par les techniciens de l'identité judiciaire et par une demi-douzaine de policiers en uniforme, Storch et Goldman pénètrent dans le hall de la clinique.

— Police de Tourmens. Nous aimerions voir le docteur Jérémy Mangel.

— Ah, il est parti il y a deux jours, répond la secrétaire, impressionnée par l'arrivée des forces de l'ordre.

— En vacances ? À Cuba ? demande Goldman.

La secrétaire hésite.

— Euh... Non, je ne crois pas. Il a démissionné.

— Dès qu'on a perquisitionné chez Sark, il s'est dit qu'il ne devait pas traîner ici, dit Véronique en désignant le bureau vide de Mangel.

— Je ne crois pas, dit Goldman. D'après la femme de ménage, il a vidé son bureau il y a une semaine. Vendredi dernier, exactement.

— Vendredi ? Zarma était encore vivant ! s'exclame Storch.

— Oui. Cette affaire n'avait pas encore commencé.

— Qu'est-ce que ça veut dire ? demande le stagiaire.

— Que son départ n'était pas précipité mais programmé. Sa mission ici était terminée...

L'administrateur de la clinique accouru à l'annonce de la perquisition est un homme d'une soixantaine d'années, portant un nœud papillon et d'épaisses lunettes.

— Que faisait exactement le docteur Mangel, ici ?

— Euh... Il hospitalisait des patients cancéreux et leucémiques dont il s'occupait aussi au Centre hospitalier Tourmens-Nord. La commission médicale s'était opposée à ce qu'il ait un secteur privé là-bas. Alors, quand un patient voulait un peu plus de confort dans sa chimiothérapie, Mangel lui proposait de venir se faire suivre ici. Le confort est nettement supérieur...

— Vu le prix de la journée, je n'en doute pas, murmure Goldman. Mais dites-moi, demande-t-il après quelques secondes de réflexion, avez-vous encore des patients du docteur Mangel dans vos murs ?

L'administrateur hésite.

— Oui, une. Mais ce n'est pas une patiente de chimiothérapie, c'est un peu particulier, je ne sais pas si je peux...

— Vous pouvez. La commission rogatoire mentionne clairement que nous devons recueillir des informations concernant *toutes* les activités de notre ami le cancérologue.

Comme l'administrateur ne semble pas disposé à parler, Goldman penche la tête et demande :

— Vous avez déjà *dîné* avec le docteur Mangel ?

— Euh... oui, bien sûr, mais je ne vois pas...

— Donc, vous étiez un de ses proches..., dit le policier.

— P... pas du tout, sursaute l'administrateur, je n'ai dîné avec lui que de manière strictement p-professionnelle...

— Ah, donc, vous aviez des liens *financiers* avec lui ! renchérit Véronique. Elle se tourne vers son stagiaire qui, en voyant le clin d'œil qu'elle vient de lui décocher, sourit, sort son calepin et note à voix haute :

— Vérifier... les comptes... bancaires... de monsieur... Quel est votre nom, déjà ?

— A... attendez ! s'exclame le sexagénaire en levant les mains devant lui. Je n'ai rien à voir avec les affaires médicales ou... financières du docteur Mangel...

— Aha ! Mais vous savez qu'il a encore une patiente ici..., dit Goldman en lui posant la main sur l'épaule.

— O-oui...

— Alors, soyez aimable, présentez-la-nous.

— C'est une procédure courante, ici, de ·fermer les chambres à clé ? demande Véronique pendant que l'infirmier déverrouille une porte au fond du « secteur privé » du docteur Mangel.

Très tendu, l'administrateur ne répond pas.

La chambre est plongée dans l'obscurité. Goldman allume le plafonnier. Une toute jeune femme est couchée, mains et pieds entravés, une perfusion au bras, dans un lit encerclé de barreaux. Elle porte sur le visage une sorte de masque de cuir manifestement destiné à l'empêcher de crier.

Véronique et le stagiaire se précipitent vers le lit pour détacher la jeune femme, visiblement assommée par des médicaments.

— Qu'est-ce que c'est que ça ? s'écrie le policier hors de lui en secouant l'administrateur. Qui est cette fille ? Pourquoi est-elle enfermée ici ? Que lui avez-vous fait ?

— Nous ne faisions que suivre les instructions...

Ivre de rage, Goldman sort son arme, la braque sur la tête de l'administrateur et dit :

— Eichmann aussi !

— Pierre ! Arrête ! hurle Véronique.

Au prix d'un grand effort, Goldman se contient et, lentement, remet son arme dans son étui. Blanc comme un linge, l'administrateur se laisse glisser par terre.

— Enlevez-lui cette perfusion tout de suite ! crie Véronique à l'infirmier. Et si vous ne voulez pas être mis en examen pour enlèvement et séquestration de mineure, je vous conseille de parler !

— ... Elle a vingt ans... Elle a été admise ici à la demande de sa famille...

— Dans le service d'un cancérologue ? Il fait de la psychiatrie, Mangel, à ses heures perdues ?

Le stagiaire se penche vers la jeune femme.

— Quel est votre nom, mademoiselle ?

— Bu... *Buffy*... Non... chuis... pas... folle...

— Quoi ?

Goldman saisit l'administrateur par son nœud papillon et le soulève de terre.

— Quel est son nom ? Vite !

— A... Ariane... Beyssan-Barthelme.

ÉNIGMES...

Renée !
— C'est moi...
Renée !
Renée ouvre les yeux. Elle est allongée sur un canapé dans une pièce qu'elle n'a jamais vue. C'est un salon, il y a des fauteuils, une table basse, un bar, mais pas de fenêtres. Un gorille est posté à la porte, qui n'a pas de poignée.

Quand Renée se redresse, le gorille ne bouge pas.

Renée, je suis là.
— Je t'entends, je t'entends, pense-t-elle. Parle pas si fort...

Elle s'assied sur le canapé. Le gorille ne bouge toujours pas. Sachant qu'il ne lui répondra pas, elle ne prend même pas la peine de lui adresser la parole.

— Qu'est-ce qu'on fait ?

On attend. Que faire d'autre ? De toute manière, il y a sûrement des caméras dans tous les coins...

— Tu crois qu'on est toujours dans la maison derrière l'hôtel de ville ?

Aucune idée.

Le gorille tressaille, pose une main sur son oreillette, murmure quelque chose que Renée n'entend pas. Il passe le bras devant la porte, qui coulisse devant lui, puis fait à Renée un signe du menton qui veut dire « Suivez-moi ».

Si les portes s'ouvrent toutes seules, c'est qu'on est sur l'Enterprise...

— Très drôle...

Renée suit le gorille dans un dédale de couloirs ; ils entrent enfin dans une grande salle remplie d'ordinateurs ; sur le mur du fond est suspendu un écran gigantesque portant une carte stylisée des cinq continents. Éparpillés sur la carte, des points lumineux clignotent. La plupart semblent fixes, mais quelques-uns se déplacent.

— Ah ! Voilà notre invitée ! dit une voix féminine. Bien dormi ?

Une femme rousse en robe de soirée noire, portant un petit sac sous le bras, vient d'apparaître.

— Trop, répond Renée. À qui ai-je l'honneur ?

Jolie plante. Carnivore, certainement...

— Bénédicte. Mais vous pouvez m'appeler Bunny.

— C'est à vous, tout ça ? demande Renée en désignant la salle.

— Voyons... Mon ami Francis pense probablement que ce joujou lui appartient, mais comme c'est moi qui paie...

— Et ça sert à quoi ?

— À localiser des personnes... très spéciales. Des personnes comme vous, mademoiselle Twain.

— Qu'est-ce que j'ai de spécial, pour vous ?

Fais attention à ce que tu dis, Sis' !

Bunny tend la main vers l'épaule de Renée et la fait tourner sur elle-même comme une danseuse.

— Pour être franche, je ne sais pas encore exactement. Il va falloir qu'on vous examine de près. Je sais seulement ce que disent les prélèvements et scanners qui ont été effectués sur vous ce matin, pendant que vous vous reposiez.

Renée relève les manches de son pull, pour examiner ses bras. Au pli des deux coudes, elle porte des traces de piqûre. Elle ne peut s'empêcher de frissonner.

— Mais nous n'avons pas l'intention de vous faire du mal, vous savez ! dit Bunny. Vous avez beaucoup trop de valeur pour ça... N'est-ce pas, cher ami ?

— Une valeur inestimable.

Tout fringant dans son smoking sur mesure, Francis Esterhazy vient d'entrer dans la salle.

— Je vous laisse bavarder, dit Bunny. On se revoit au cocktail ?

— Non, après le spectacle, répond le maire de Tourmens. C'est moi qui préside, comme vous le savez. Il faut que je supervise les derniers préparatifs...

— Je connais votre perfectionnisme, ironise Bunny. Alors, à plus tard...

— À plus tard, chère amie, lance Esterhazy sur un ton presque jovial.

Tandis que Bunny s'éloigne, Renée se demande si elle ne doit pas sauter sur l'occasion... et sur le maire.

Lui donner un coup là où je pense et lui tordre le cou ? Je sais que tu en es capable, mais c'est pas une bonne idée.

— Ça nous aiderait à sortir d'ici...

Pas sûr. Et même si ça marchait, on ne serait pas plus avancés. Tu n'as pas envie de savoir ce que ce pourri a dans la tête, et pourquoi il s'est acoquiné à la patronne de WOPharma ? Elle est plus toxique que Voldemort, cette vipère !

— Venez, mademoiselle, dit le maire.

Renée ne bouge pas.

— Ne m'obligez pas à utiliser la force, dit-il en tournant les talons et en s'engageant dans un couloir.

Renée hésite quelques secondes, lorgne les deux gorilles qui se dressent à ses côtés, puis suit le petit homme.

Il marche vite. Il semble pressé, et Renée le sent vaguement différent de l'homme qui les a reçus à l'hôtel de ville quelques jours plus tôt. Elle ne parvient pas *(Moi non plus !)* à comprendre comment ils ont pu confondre la silhouette de Paula Weisman avec celle du maire. Certes, ils ont à peu près la même taille et le même gabarit, mais... Et à quel moment la substitution a-t-elle eu lieu ? Et qu'est devenue Paula ? Où Esterhazy et sa *partner in crime* l'ont-ils séquestrée...

À moins qu'elle ne soit de mèche avec eux...

— J'ai du mal à le croire.

On ne sait rien de Saul et Paula.

— On sait qu'ils n'aiment ni le pouvoir ni l'argent. Ce sont des artistes...

Esterhazy s'est immobilisé devant la porte d'un ascenseur.

Il y a des ascenseurs partout ici, il doit se sentir chez lui...

Renée sourit à cette remarque. Son sourire disparaît quand Esterhazy l'invite à entrer dans la cabine. Elle s'exécute à contrecœur, le maire sur ses talons. Contre toute attente, le petit homme fait signe à ses gorilles de ne pas les suivre. Les deux malabars restent au garde-à-vous dans le couloir.

Au moment où les portes se referment, Renée se dit qu'elle va devoir agir. Avant qu'elle ait pu esquisser le moindre geste, deux voix retentissent en même temps.

Ne bouge pas, Sis' !

— Ne me sautez pas dessus tout de suite...

L'ascenseur s'immobilise. Le petit homme vient d'actionner le bouton d'arrêt d'urgence et Renée sent qu'il lui prend la main.

— Me touche pas, sale...

Sa voix se perd dans le vent qui souffle autour d'elle.

Elle est de nouveau dans le jardin d'été. Il fait presque nuit. Il y a de la lumière là-bas, dans la cuisine. Elle n'est plus en maillot de bain mais porte la petite robe qu'elle préférait quand elle avait... douze ans. Elle s'en souvient très bien. C'est dans cette robe que, pour la première fois...

Elle court vers la maison, entre dans la cuisine.

Le jeune homme est assis à la table de Formica, face à la porte.

— Je suis heureux que vous ayez compris.

Mais Renée ne comprend pas, elle est en colère, elle se précipite vers lui pour le secouer, pour lui demander ce qu'elle fait là, mais il l'arrête d'un geste de la main.

— Surtout, ne me touchez pas, vous retourneriez dans l'ascenseur. Laissez-moi le temps de tout vous raconter.

— Surtout, ne me touchez pas, je retournerais dans l'ascenseur. Laissez-moi le temps de tout vous raconter.

— Mais *qui* êtes-vous ? demande René. Comment avez-vous fait pour entrer ici ?

Il est debout dans la chambre jaune. La vieille femme apparue quelques heures plus tôt se tient devant lui, les mains levées, pour l'inciter à garder ses distances.

— C'est vous qui m'avez fait entrer. Quand Renée m'a touchée.

— C'est ce... salaud qui l'a touchée ! *Qui* êtes-vous ?

— Je suis Paula Weisman.

— Je suis Saul Weisman, dit le jeune homme.

— Qu'est-ce que vous m'avez fait ?

— Je vous ai seulement « invitée » à revenir quand vous avez touché la main de ma sœur, Renée. Et vous êtes revenue.

— Votre sœur ? J'étais avec ce pourri d'Esterhazy dans l'ascenseur. Il ne ressemblait pas à Paula.

— Non, effectivement, répond le jeune Saul en riant. C'est Paula qui lui ressemble ! Elle a... le don de « projeter » une autre image que la sienne... Comme vous avez celui de faire dire la vérité...

— Comment savez-vous ça ? demande Renée avec sa voix de petite fille.

— Je le sais depuis que vous m'avez... que vous *nous* avez fait apparaître tels que nous sommes vraiment. Ma réalité est celle que vous voyez là.

— J'ai vu Paula Weisman, dit René. Vous êtes beaucoup plus âgée qu'elle...

— Vous avez vu le visage que je donne au monde. Ma réalité est celle que vous voyez à présent.

— Et vous êtes vraiment la sœur de Saul Weisman ?

— Pas au sens où l'on entend habituellement les mots « frère » et « sœur ». Et pas tout à fait au sens où *vous* les entendez.

Elle désigne la porte.

— Venez.

— Où ? demande René, qui sait qu'on ne sort pas comme ça de la chambre jaune.

Mais Paula a déjà franchi la porte. Il la suit dans un hall sombre, aux cloisons lambrissées, qu'il ne connaît pas. Au bout, un couloir mène sur un grand jardin lumineux. Paula entre dans une cuisine. Saul et Renée sont assis à la table de Formica. Paula s'assied près de son frère.

— Qu'est-ce qui se passe ? demandent René et Renée.

— Asseyez-vous et écoutez, répondent Saul et Paula. Tout est plus calme ici, dans la maison d'été, et le temps s'y écoule moins vite que dans le monde réel. Mais tôt ou tard il va nous falloir retourner *là-bas*... Alors, asseyez-vous et écoutez. Nous avons une histoire à vous raconter.

... ET COÏNCIDENCES

Construit au milieu d'une zone de HLM des années 70 jamais réhabilitées mais en grande partie rasées pour faire place aux grands travaux du maire, l'hôpital nord, que tout le monde appelle « l'Hospice », abrite depuis plusieurs décennies les services dont le centre hospitalier universitaire de la rive droite ne veut pas : les services de long séjour voués aux patients grabataires ; l'unité de dialyse où survivent douloureusement les insuffisants rénaux qui ne seront jamais transplantés ; la réanimation des nouveau-nés atteints de lésions cérébrales profondes ; les services de chirurgie des grands brûlés et grands blessés au pronostic plus que réservé ; la maternité où accouchent les parturientes des quartiers défavorisés de la rive gauche ; le centre d'interruption de grossesse ; les centres de dépistage des infections sexuellement transmissibles et les dispensaires de suivi des patients séropositifs ; les unités d'accueil des toxicomanes et des alcooliques ; et enfin, le service des urgences. Leur chef de service, le professeur Lance, est depuis toujours en lutte contre les injustices de la ville et de l'administration hospitalière. Il prend en charge sans discrimination les patients et les maux que les généralistes harassés ne peuvent pas – et que les spécialistes surbookés ne veulent pas – recevoir.

Chaque soir, à la nuit tombante, le grand espace bétonné qui s'étend devant l'Hospice devient un lieu cosmopolite où divers groupes d'activités spécialisés – dealers à la petite semaine, prostituées et trafiquants de véhicules en pièces détachées – coexistent sans heurts... De manière tacite, le « Carré de l'Hospice » a toujours été considéré comme une zone neutre, ouverte à tous et n'appartenant à personne. Ici, alors même que la moindre voiture de police serait caillassée sans sommation, les ambulances circulent sans crainte ; médecins et infirmières peuvent traverser sans jamais être inquiétés. Il faut dire que presque tout le monde, à Tourmens-Nord, a vu naître ou mourir l'un des siens à « l'Hospice ». Et nul n'ignore que les soignants qui décident de travailler là le font toujours sur la base du volontariat. Ce lieu qui, pour la municipalité, abrite les trafics les plus illégaux est donc, paradoxalement, l'un les plus paisibles de la ville.

Mais ce soir, alors que le gala d'inauguration du CCMMH se prépare dans un silence imprévu, il y a foule sur le Carré de l'Hospice. Loin de se contenter d'appeler au boycott de la manifestation d'autocélébration du maire, les associations de quartier ont incité les habitants des quartiers nord à organiser une fête spontanée en guise de contre-manifestation pacifique. Le thème est simple et fédérateur : témoigner l'attachement de la population aux personnels de l'hôpital nord.

Sous des banderoles où l'on peut lire « L'Hospice est à tous. Tous avec l'Hospice ! », « Soignants, vous nous faites du bien ! » et surtout « Docteur Lance, président ! », associations et familles sont venues dès la fin de l'après-midi installer tables et chaises sur le Carré. Petit à petit, on a vu aussi apparaître des assiettes, des couverts, des bouteilles, des boîtes en métal contenant des biscuits salés, des boîtes en plastique contenant des plats cuisinés, des casseroles, des marmites, des corbeilles de fruits, des tartes, des pâtisseries et des gâteaux, et puis sont arrivées des familles entières, des femmes tenant des enfants par la main, des hommes portant d'autres enfants sur leurs épaules, des adolescents venus à deux ou en bande. À mesure que l'après-midi s'avançait, et à la faveur du ciel encore très lumineux en ce début septembre, des musiciens sont arrivés avec leurs instruments, des magiciens et des jongleurs avec leur attirail, des conteurs et leurs histoires, des mimes avec leur visage blanc et leur costume noir.

À 20 h 30, la fête bat son plein et les clameurs joyeuses qui s'élèvent du Carré vibrent jusqu'aux oreilles des Compagnies républicaines de sécurité stationnées autour de l'esplanade du centre culturel flambant neuf. Parmi les hommes casqués, beaucoup rêvent, peut-être, de laisser tomber leur matraque et leur bouclier translucide pour aller s'amuser *là-bas*.

Mais ils n'en disent rien.

Debout derrière la verrière, au deuxième étage de l'hôpital nord, les *detectives* Storch et Goldman observent en contrebas les grappes vivantes qui s'agglutinent autour des tables, des baladins, des chanteurs et des musiciens.

Pensif, Goldman lève la main et la pose sur la vitre. Un an plus tôt, il perforait cette verrière de balles et y précipitait une tueuse vers la mort.

— Tu y penses encore ? demande sa compagne.

— Oui. Bien sûr. Régulièrement... Maintenant, lorsque je vais m'entraîner, dès que je vois la cible bouger, j'imagine qu'il y a quelqu'un derrière... Ça me fait mal au bide.

— Elle avait assassiné plusieurs personnes. J'aurais pu y rester moi aussi...

— Je sais. Mais ça ne me console pas de l'avoir tuée, elle.

— Tu t'es défendu...

Il réfléchit un moment avant de répondre.

— Tout à l'heure, à la clinique, j'étais à deux doigts de tirer...

— Tu ne l'as pas fait.

— Mais j'ai *failli*...

Elle secoue la tête et pose un baiser sur sa main.

— Tu aurais failli si tu l'avais fait.

Un peu plus loin dans le même couloir, le professeur Lance serre sa fille dans ses bras. Clarisse va mieux, il était inutile de la garder aux urgences. Il l'a fait transférer à un étage plus calme.

— Bon, il faudrait que je retourne bosser, dit le vieux praticien mal à l'aise à l'idée de s'éloigner de sa fille.

Clarisse sourit et pose la main sur le visage de son père.

— Vas-y. Je sais que tu n'es pas loin. Et puis, je ne vais pas rester seule...

Debout, bras croisés à la porte de la chambre Marc Valène murmure :

— À moins que vous n'ayez besoin d'un coup de main, maître ?

— Sûrement pas ! répond Lance, sur un ton faussement grincheux. Tu ne travailles plus aux urgences, inutile de t'y incruster. Reste donc ici pour lui tenir compagnie. Ou lui faire de la psy-machinchose... Comment tu dis, déjà ? demande-t-il en lui faisant un clin d'œil.

— De la psychothérapie de soutien ?

— C'est ça. C'est un truc de paresseux, digne d'un généraliste : tu causes tout le temps, ça endort les patients.

Marc éclate de rire.

— Bon, alors faut que je l'endorme, c'est ça ?

— Non, faut que tu... Faut que tu fasses ce que tu sais faire, voilà !

— Comptez sur moi, dit Marc en posant la main sur le bras de Lance.

Tandis que la porte se referme, Clarisse sourit à Marc, Marc lui rend son sourire et ils restent là un bon moment, gênés, en se demandant ce qu'ils vont bien pouvoir se raconter.

À deux cents mètres de là, une voiture se gare dans une ruelle derrière l'Hospice.

— Qu'est-ce que tu fabriques ? demande Drang en faisant un créneau.

Sturm tient à la main un appareil de la taille d'un lecteur numérique.

— Je fais du repérage.

— Quoi ?

— Après le vieux, Volkanova veut qu'on élimine deux nanas. Elles ont toutes les deux une puce dans le bras. Ce truc sert à les localiser. Y en a une que je trouve pas. Mais l'autre est à l'Hospice ! Et dans le service du vieux, figure-toi ! On va faire d'une pierre deux coups !

212

COMPLOTS

— Il était une fois une enfant qui avait peur de mourir. Elle était terrorisée à l'idée que son existence puisse prendre fin. Elle hurlait de peur la nuit, à l'idée qu'au fil des années, elle verrait sa peau et ses organes vieillir irrémédiablement, ses forces s'amenuiser, ses capacités s'affaiblir ; qu'un jour, ses sensations et sa conscience s'évanouiraient à jamais.

Depuis qu'elle savait comment on vient au monde, elle trouvait intolérable, absurde l'idée que son existence était due au hasard. Et cette pensée lui était d'autant plus pénible que, *dans son cas*, le hasard avait été monstrueusement manipulé.

Longtemps avant sa naissance, ses parents avaient essayé encore et encore d'avoir un enfant, sans y parvenir. Un beau jour, on leur apprit qu'ils ne pourraient jamais en avoir, ni l'un ni l'autre. À l'époque, les biologistes commençaient à comprendre les origines de la vie, à en décrypter les arcanes. Alors, comme ce couple était immensément riche, ils investirent une somme colossale pour s'offrir ce qui, au commun des mortels, ne coûte pas un centime. Ils embauchèrent des savants, les équipèrent de machines sophistiquées, les firent travailler de longs mois sur des spermatozoïdes et des ovocytes prélevés sur des sujets choisis, triés sur le volet – des prix Nobel, des top models, des sportifs et des artistes, des médecins et des musiciens – avant de fertiliser les leurs. La plupart des embryons ne vécurent pas plus de quelques semaines. Et puis, un jour, l'un d'eux survécut.

Ce fut une petite fille. Elle était le premier enfant in vitro conçu au monde, mais le grand public n'en sut jamais rien. La manipulation des embryons était formellement interdite à cette époque dans leur pays, et les parents de cette petite fille ne voulaient pas que l'on connaisse ses origines. Elle était devenue leur trésor le plus précieux. Ils avaient peur qu'elle soit kidnappée ; ils craignaient qu'elle devienne l'objet de la curiosité de l'humanité entière ; ils craignaient qu'une fois exposée au monde, elle devienne un monstre. Ils pensaient qu'en la protégeant du monde, elle deviendrait une petite fille comme les autres.

Bien entendu, ils se trompaient.

Comme toutes les petites filles, cette petite fille miracle aimait les animaux. Sa peluche préférée était un petit lapin ; on la surnomma donc Bunny.

Malgré ses couettes et ses peluches, Bunny ne pouvait pas grandir comme les autres petites filles. Ses parents avaient tout fait pour taire le secret de sa conception ; mais beaucoup d'enfants, même quand on leur ment, sentent qu'on leur sert des mensonges. Et ils font tout pour découvrir la vérité.

Arrivée à l'âge adulte, elle fit preuve d'une énergie et d'une ambition immenses. Volontaire, extrêmement sûre d'elle-même, prodigieusement intelligente et initiée très tôt par ses parents aux secrets de la finance, elle devint une femme d'affaires habile que rien n'arrêtait, car son atout principal était une totale absence de scrupules.

Ce qui l'animait n'était pas la soif de vivre ou l'appétit des sensations. C'était, depuis toujours, la peur de mourir. Cette peur de petite fille, personne ne semblait pouvoir l'apaiser. Elle consulta psychiatres et psychologues, chercha des réponses dans toutes les religions, toutes les philosophies et les méditations, mais rien n'y fit. Un jour, un ami étonné par l'intensité de son angoisse suggéra qu'il s'agissait d'une peur ancienne, ancestrale, antérieure à son existence. Ses parents étaient morts dans un accident, la laissant seule à la tête d'une immense fortune. Elle plongea dans leurs archives à la recherche de leur secret... et en découvrit un autre : celui de sa naissance – ou plutôt de sa *fabrication* – entre les mains de savants dotés de moyens considérables.

Dans sa logique d'adulte à qui rien ne pouvait résister, elle eut alors une idée folle : si les savants et l'argent avaient été capables de lui donner la vie, et de faire d'elle une femme exceptionnelle, ils pouvaient aussi la dispenser de mourir. *Si elle leur en donnait les moyens.*

Elle regarda le monde dans lequel elle vivait et se posa une question simple : où, sur la planète, trouverait-elle ce dont elle avait besoin pour la faire vivre éternellement ?

La réponse était simple, elle aussi : dans l'industrie de la santé.

Alors, elle décida d'édifier la plus gigantesque entreprise de santé privée de la planète. Cette entreprise mènerait non seulement des recherches dans le domaine du médicament, mais aussi de la biologie moléculaire, de l'embryologie et de la technologie médicale.

En dix ans, après un nombre incalculable de manœuvres, de manipulations, de faillites et de rachats, mais aussi de suicides provoqués et de meurtres commandités, Bénédicte Beyssan-Barthelme – qui désormais ne se faisait plus appeler Bunny que par ses amants et ses pires ennemis – est devenue la patronne et principale actionnaire de WOPharma, seconde entreprise de produits de santé au monde.

Sous sa direction, WOPharma a non seulement embauché à prix d'or les savants les plus doués, mais elle a aussi ratissé la planète à la recherche de tous les individus hors du commun, tous les mutants dont le bagage génétique contient une variante, une différence, une particularité susceptible d'offrir à la petite fille ce qu'elle désire le plus au monde : ne pas vieillir, ne pas mourir.

Un jour, les savants de Bunny et leurs appareils d'analyse ont découvert que dans une ville de France sans grande particularité apparente – une ville de province avec sa bourgeoisie et sa classe ouvrière, avec son fleuve et ses ponts, avec ses théâtres et ses usines –, le nombre de mutations était largement supérieur à la moyenne nationale. Que, pour des raisons indéfinies, un nombre impressionnant d'enfants y naissent avec des aptitudes particulières : ils cicatrisent mieux et plus vite que les autres ; ils sont moins souvent malades ; leur corps vieillit moins vite ; ils vivent plus longtemps. Et que, parmi eux, un petit nombre présente des dons encore plus extraordinaires...

Pourquoi Tourmens est-il le siège de tant de mutations bénéfiques ? Nul ne le sait. Et ceux qui ont conscience de sa particularité n'en parlent pas ou ont été réduits au silence par Bunny, qui tient à préserver le secret de sa quête.

Car la petite fille qui avait peur de mourir est devenue grâce à son entreprise la femme la plus riche du monde. Et elle a acheté la ville et son maire. Ce maire, qu'elle manipule à son gré, a lancé un programme insensé de surveillance et de recueil d'ADN, qui va permettre aux analystes de Bunny d'étudier non seulement les mutations de la population mais aussi les conséquences des expériences menées à Tourmens par les filiales biotechnologiques de WOPharma, au cours des vingt dernières années – sur des cancéreux, des femmes enceintes, des prisonniers, et des milliers d'habitants, autochtones ou migrants. Ce soir, au Centre culturel Michel-Houellebecq, Bunny a fait inviter un millier de personnes dont l'ADN l'intéresse au plus haut point. Des chefs d'entreprise, des savants, des artistes, des militaires de carrière, des sportifs de haut niveau, des musiciens, des écrivains, des médecins... choisis dans toute l'Europe et dont les chercheurs de Bunny vont étudier la configuration génétique.

— Même celle d'Esterhazy ? ironise Renée.

— Même celle de Slezak ? ajoute son frère, un sourire en coin.

Paula et Saul restent graves.

— Esterhazy, Slezak et quelques autres ne sont que des pions dans cette affaire, vous vous en doutez bien. Des intermédiaires. Des courroies de transmission serviles. Ils ne sont là que pour servir son grand projet.

— Et ce grand projet, vous voulez le faire échouer...

— Non, répondent Saul et Paula. Nous voulons qu'il réussisse.

... *FOUR TO GO !*

— Vous voulez qu'elle *réussisse* ?

— Oui. Mais le temps presse, il serait trop long de vous expliquer pourquoi. Vous devez nous faire confiance...

René et Renée se regardent.

Saul se lève et, les mains dans les poches, se dirige vers la fenêtre.

— Vous savez, parce que vous êtes venus jusqu'*ici*, que nous disons la vérité...

— J'ai encore des questions à poser ! dit René.

— Faites vite...

— *Qui êtes-vous ?* Comment... Vous partagez le même corps. Vous êtes comme Renée et moi, n'est-ce pas ?

— Oui à la première question. Non à la seconde.

Le frère et la sœur se regardent.

— Nous ne sommes pas jumeaux, dit Paula.

— Comment ça ?

— Je suis née après Saul. En 1981. Ici, à Tourmens. Je suis le résultat d'une mutation tardive...

— Mais vous semblez... plus âgée...

— Ça aussi, ça serait trop long à expliquer... Nous n'avons plus que quelques minutes devant nous. Quelques secondes en temps réel.

— Pourquoi vous faire la tête d'Esterhazy ?

— Nous sommes venus à Tourmens pour déstabiliser le maire et hâter la réalisation du projet de Bunny. D'abord en faisant réparer les ascenseurs de la municipalité...

261

— On s'en doutait un peu, dit René en souriant. Il fallait des moyens...

— Oh, pas tant que ça ! Il a suffi de rémunérer correctement les techniciens ascensoristes que l'ASESE fait venir au noir des pays de l'Est et paie une misère... Ils sont ravis de jouer ce... tour-là au maire.

— C'est encore plus drôle !

— Et puis nous avons su utiliser la vanité d'Esterhazy pour prendre sa place à certains moments-clés. D'où la transformation de Paula hier et aujourd'hui.

— Vous nous avez attirés *volontairement* dans ce traquenard ? dit Renée, révoltée.

— Oui. Il le fallait.

— Pourquoi ?

— Nous avons besoin de vous.

— C'est vous qui nous avez embauchés, l'autre jour ?

— Non. C'est Esterhazy. Nous avons seulement sauté sur l'occasion.

— Je ne comprends pas.

— Je sais, dit Paula, mais nous n'avons plus le temps. Il faut retourner là-bas. Mais cette fois-ci, j'ai besoin de *vous*, dit-elle en prenant les mains de René.

— Qu'est-ce que... ?

René se retrouve dans l'ascenseur. Près de lui, le faux Esterhazy remet l'ascenseur en marche.

— Seuls les deux gorilles savent que votre sœur est entrée ici avec moi Quand nous allons sortir de cet ascenseur, personne ne s'étonnera de vous voir.

— Pas même... Bunny ?

— Bunny ne sait pas que René et Renée ne font qu'un. Elle sait que votre sœur est une mutante, c'est tout. Et dans son équipe, personne ne vous connaît...

— Mais pourquoi avez-vous besoin de *moi* ?

— Pour *faire fonctionner* quelque chose, pardi ! dit la voix de Paula dans la bouche d'Esterhazy. Votre... super-pouvoir, c'est ça, si je ne me trompe !

— Où allons-nous ?

— Au second sous-sol du Centre Michel-Houellebecq.

— Qu'est-ce qu'il y a, là-bas ?

— Une salle de torture.

Quand la porte de la cabine s'ouvre, René découvre qu'ils sont au rez-de-chaussée de l'hôtel de ville. Deux autres gorilles montent la garde et saluent leur chef au passage. « Esterhazy » entraîne son compagnon vers une limousine garée à l'extérieur, le fait monter, met un doigt devant ses lèvres pour lui recommander le silence.

Pendant que le véhicule s'ébranle, encadré par quatre motards, René sent sa sœur s'agiter.

Tu as confiance ?

— Oui. Quand nous étions dans leur... cuisine, ils ne pouvaient pas nous mentir.

Mais tu ne sais rien et tu le laisses t'entraîner !

— Disons que j'aime l'imprévu...

Il aurait peut-être fallu qu'on prévienne Marc... et Liliane. Ils doivent se demander ce qu'on devient.

— Je suis sûr qu'ils sont déjà bien occupés de leur côté. Ne te fais pas de souci...

La limousine entre sur la rocade et prend la direction des quartiers nord. René regarde sa montre. Il est 20 heures. Il se demande où se trouve le vrai Esterhazy, et pourquoi personne ne s'étonne qu'il puisse se montrer partout en même temps...

Note technique

Au cinéma et à la télévision, le montage permet de donner le sentiment d'une simultanéité quasi instantanée entre deux actions parallèles. Et ce, même si la réalisation n'a pas recours au split-screen, comme le fit brillamment Norman Jewison pour le hold-up de *L'Affaire Thomas Crown* ou comme le font aujourd'hui, de manière nettement plus mécanique, les réalisateurs des aventures de Jack Bauer.

Prenez la situation classique suivante, née aux premiers temps du cinéma et qui nous a, depuis, avec quelques variantes, été servie jusqu'à plus soif.

L'héroïne – appelons-la Charlotte – a été enlevée par le méchant – appelons-le Van De Meurtre – qui veut l'épouser de force pour la spolier ensuite de son héritage. Elle veut résister ? Qu'à cela ne tienne. Il va l'assassiner. Devant le refus absolu de la courageuse jeune femme, il décide de s'en débarrasser en la ligotant sur des rails de chemin de fer. Pendant ce temps, le héros – appelons-le Zorro – accourt (ou galope), le plus souvent de très loin, pour libérer Charlotte avant que le train ne la découpe en trois morceaux ou plus.

Donc, pendant cette séquence – qu'on est en droit de qualifier de « morceau de bravoure » et dont le suspense se doit, en toute bonne logique, d'être insoutenable (on entend par insoutenable un suspense qui, pour une spectatrice, justifie de broyer la main de son voisin) –, on verra, grâce aux vertus du montage, des plans où Van De Meurtre tente de séduire Charlotte alterner avec ceux où Zorro sort du précipice dans lequel Va-t'en-Meurtre pensait l'avoir précipité ; puis des plans du méchant ligotant Charlotte sur les rails alternant avec ceux où Zorro castagne une douzaine de soldats pour récupérer son fidèle Tornado, *intercalés* avec des nuages de fumée s'élevant de l'horizon ; puis le visage hilare de l'horrible malfaiteur moustachu entrecoupé de plans du train roulant à toute vitesse tandis que Zorro lance son fidèle Tornado presque à la verticale sur le flanc escarpé de la colline au pied de laquelle se déroule le ruban de la voie ferrée ; puis un plan de Charlotte, secouant éperdument la tête de droite et de gauche tandis que la fumée de la locomotive semble s'élever juste derrière son joli petit chapeau, tandis que Val de Mort se met en embuscade pour flinguer Zorro comme un lapin si jamais il avait la mauvaise idée de venir détacher Charlotte à temps ; étant donné que le train est lancé à pleine vitesse (plan sur le train) et que Tornado n'a pas bu ni mangé depuis trois semaines (plan sur le beau poil de Tornado couvert de sueur et sur sa mâchoire écumante), ce serait étonnant... Mais un plan sur le visage concentré de Zorro, qui connaît son boulot de héros, nous assure que quoi qu'il arrive, c'est prévu dans le scénario...

Bref, vous voyez d'ici le tableau.

Dans les romans, c'est très différent. Dans un roman, décrire deux séquences simultanées est une entreprise beaucoup plus délicate. Et quand il y en a *trois*, n'en parlons même pas.

Il n'est certes pas dans nos intentions d'affirmer que la construction d'un roman ne fait jamais appel au montage – si vous êtes parvenu jusqu'ici, vous savez bien que c'est tout le contraire – mais plutôt de suggérer que, dans un roman, ce qui

donne son intensité au montage, c'est peut-être moins le sentiment du mouvement que le mouvement des sentiments.

Et dans le roman qui nous occupe, cela pourrait donner
ceci...

THE KILLING

Au deuxième étage de l'Hospice, Goldman et Storch parlent tranquillement près de la verrière tandis que, quelques mètres plus loin, Marc Valène et Clarisse Lance hésitent à tisser un lien dont ils ne connaissent pas encore la nature.

Au rez-de-chaussée, le professeur Lance sort de l'ascenseur au milieu des rires de joyeux fêtards qui ont déboulé du Carré pour apporter au personnel et aux patients de grandes parts des gâteaux découpés sur les tables à tréteaux. Le vieux médecin rougit quand quelqu'un lance – et tout le monde reprend – « Docteur Lance, président ! ».

À l'entrée des urgences, Sturm et Drang sont bloqués par la foule. Sturm jure. Drang le prend sous son bras et lui fait rebrousser chemin, de peur qu'il ne se fasse écraser.

Au deuxième étage de l'Hospice, Pierre et Véronique se demandent de quoi leur avenir sera fait, tandis que Marc Valène écoute la fille du docteur Lance parler de son enfance.

Au rez-de-chaussée, le professeur Lance dévore un gros morceau de moelleux au chocolat et demande à l'une des infirmières comment va la jeune fille hospitalisée. L'infirmière lui répond qu'elle dormait paisiblement, mais qu'elle va aller jeter un coup d'œil.

À l'extérieur des urgences, Sturm et Drang longent le mur à la recherche d'une fenêtre ouverte. Soudain, une sortie de secours s'ouvre et un garçon en jaillit, un soutien-gorge à la main, poursuivi par trois filles mi-rigolardes mi-furibardes. Sturm retient la porte avant qu'elle ne se referme.

266

Au deuxième étage, Pierre pose le bras sur les épaules de Véronique et Véronique le front sur le bras de Pierre ; Marc prend la main de Clarisse sous prétexte de se faire pardonner l'incision qu'il lui a faite au bras la veille. Mais avant que Clarisse ait eu le temps de s'émouvoir, Marc réalise que si on lui a imposé un implant, on a peut-être bien fait la même chose à la captive de la clinique Saint-Ange...

Au rez-de-chaussée des urgences, après avoir volontairement boudé la corvée de gala, le capitaine Liliane Roche se fraie un chemin parmi la foule bariolée pour aller interroger la belle-fille de Bunny...

Au deuxième étage, Marc murmure quelques mots d'excuse et sort, vaguement inquiet, de la chambre de Clarisse. Cherchant Goldman et Storch des yeux, il les voit enlacés là-bas, au bout du couloir. Souriant, il se dirige vers eux.

Au rez-de-chaussée, l'infirmière entre dans la chambre d'Ariane Beyssan-Barthelme, paisiblement endormie. Elle s'approche du lit, replie la couverture, superflue par cette chaleur, et approche la tablette roulante portant un verre et une carafe, puis se retourne et se retrouve nez à nez avec une brute épaisse et un petit homme au visage de singe. La brute la frappe à la tempe ; elle s'effondre, sans connaissance.

Au deuxième étage, Marc fait vaguement part de son inquiétude aux deux policiers mais tous trois regardent, fascinés, la fête qui bat son plein sur l'esplanade, dans la lumière du soleil couchant. Pour se rassurer, Marc sort son portable de sa poche et compose le numéro de Lance.

Au rez-de-chaussée, Liliane prend le professeur Lance par la manche et, dans le brouhaha, lui crie quelque chose à l'oreille. Lance hoche la tête et lui fait signe de le suivre. Alors qu'il s'apprête à entrer dans la chambre, son téléphone se met à vibrer.

Au deuxième étage, Marc entend Lance décrocher puis des cris, un bruit sourd, une altercation et des bruits de lutte. Il se précipite vers l'escalier. Goldman et Storch se regardent et s'élancent derrière lui.

Au rez-de-chaussée, Lance a surpris Sturm penché, une seringue à la main, au-dessus de la jeune Ariane. Le vieux praticien a lâché son téléphone et s'est précipité sur le ripoux.

Caché dans un coin, Drang claque la porte et ceinture le professeur.

Marc, Pierre et Véronique dévalent l'escalier jusqu'au premier étage.

Liliane, sonnée d'avoir reçu la porte dans le nez, se relève et sort son arme.

Seringue à la main et sourire diabolique aux lèvres, Sturm s'approche de Lance, qui gigote dans les bras de Drang. Le vieux professeur soulève les pieds et en met un grand coup dans le bas-ventre de Sturm, qui est catapulté contre le mur tandis que la seringue glisse par terre sans se briser, aux pieds de Lance. Celui-ci colle un coup de talon à Drang pour lui faire lâcher prise, il attrape la seringue, la plante dans la cuisse du colosse et appuie sur le piston. Drang hurle de douleur et arrache la seringue à moitié vide.

Marc, Pierre et Véronique dévalent l'escalier jusqu'au rez-de-chaussée.

Liliane ouvre la porte, arme au poing.

— Police ! Les mains en l'air !

Mais Sturm, qui a sorti son arme, fait déjà feu. Liliane bat en retraite derrière la porte tandis que la balle perfore le plafond. Le petit flic bondit sur ses pieds, saisit Lance par le cou, lui colle le canon de son automatique sur la tempe, et s'en sert comme bouclier pour sortir de la chambre, suivi par un Drang titubant de douleur et à moitié assommé par la demi-injection.

— Bougez pas ou je lui brûle la cervelle, à ce vieux schnock ! crie Sturm à la cantonade.

Marc, Pierre et Véronique déboulent dans le hall de l'hôpital. Ils s'engouffrent dans le couloir des urgences et s'arrêtent net.

Devant eux, Drang et Sturm s'abritent derrière Lance, tandis que Liliane les tient en joue. Les fêtards et les membres du personnel, figés, sont massés devant la sortie.

— Police ! Les mains en l'air !

Sturm tourne la tête, aperçoit les deux *detectives* campés en position de tir et lève les yeux au ciel. L'espace d'une seconde, on pourrait croire qu'il va se rendre mais, sans lâcher le vieux professeur, il fait un quart de tour et recule vers une porte sur laquelle on peut lire « Sous-sol ». Il fait signe à Drang de la franchir le premier.

Liliane et Pierre hésitent à tirer, de peur de blesser Lance.

Au moment où Drang fait sa sortie, Lance mord le bras de Sturm et tente de lui prendre son pistolet. Les deux hommes luttent, le coup part et le vieux professeur s'effondre.

Sturm disparaît par la porte du sous-sol.

Marc se précipite vers Lance. Sur sa blouse s'épanouit une tache écarlate.

— Oh, putain, murmure Lance en étreignant son ventre. C'est du sang artériel, ça... Faut que t'appelles le bloc...

Son corps est pris de convulsions et il perd connaissance. Tandis que Goldman et des infirmiers se précipitent pour leur venir en aide, Liliane et Véronique, telles des furies, se lancent à la poursuite des assassins.

BODY DOUBLE

Perché sur un siège en forme de trône, au premier sous-sol du CCMMH, Francis Esterhazy répète une dixième fois son apparition sur la scène, au tout début du gala qui doit commencer dans à peine une demi-heure. Devant lui, ses notes à la main, Victor-Hubert Slezak tente désespérément de lire son texte sans bégayer. Mais l'émotion est trop forte. La sueur coule à grosses gouttes du front du journaliste-écrivain-philosophe et, pour la dixième fois, l'une des maquilleuses revient poudrer la surface calcinée du « triangle de peau caressé par tous les soleils d'Orient » – c'est le terme dont il usa jadis dans l'un des articles qui lui valurent *presque* le prix Albert-Londres – que donne à voir l'échancrure de sa chemise immaculée.

— T'inquiète pas, Victor-Hubert, tout va baigner ! lui lance le maire.

L'angoisse du plumitif le fait sourire. Il est vrai que ce soir, l'enjeu est grand pour V-HS, dont le dernier succès littéraire remonte à l'époque lointaine où le magnétoscope à bande était une technologie de pointe.

— C'est une soirée très importante... Très, très ! insiste le conseiller culturel.

— Tu sais pas à quel point ! répond Esterhazy, jovial, à l'idée de ce qui se prépare au-dessus de leurs têtes et sous leurs pieds. Sans parler de l'Hospice.

En ce moment même, les invités arrivent au CCMMH. En donnant leur billet, ils glissent dans les urnes des échantillons de leur ADN et de leurs phéromones.

270

En ce moment même, ils s'installent dans des fauteuils spécialement conçus pour enregistrer leurs moindres manifestations physiologiques.

Tout à l'heure, juste avant sa triomphale entrée en scène, on viendra lui annoncer que le « problème Lance » est réglé.

Tout à l'heure, quand il donnera le signal des festivités, les ordinateurs de WOPharma mettront en branle un gigantesque appareillage destiné à scanner les corps de tous les spectateurs, à répertorier l'image de leurs organes nobles et le détail de leurs maladies honteuses dans une immense banque de données.

Et demain, les savants de WOPharma se mettront au travail pour déterminer qui seront, parmi les milliers de profils ADN enregistrés depuis des mois – et les centaines de happy few qui s'apprêtent à lui rendre hommage –, les meilleurs pourvoyeurs d'organes pour le maire de Tourmens.

— Quelle heure est-il, Anastacia ? murmure-t-il.

— Il est vingt heurrres douze, monsieur le mairre..., lui répond la voix d'Anastacia dans une discrète oreillette.

— *Lovely... Lovely...* Ma... doublure s'est occupée des Twain ?

Sur le visage fermé d'Anastacia, Esterhazy le devine, apparaît un sourire carnassier.

— Oui, monsieur le mairrre, ils sont en route.

— *Raaaah... Lovely...* Tout est prêt, au second sous-sol ?

— Tout est prrrrêt...

Un sentiment d'extase intense envahit Francis Esterhazy. Quelle idée géniale il a eue d'embaucher ce sosie pour pouvoir régler plusieurs problèmes en même temps ! Mener des négociations secrètes sans rater une réception, au moyen de micros et d'oreillettes bien placés, quoi de plus facile ? Se faire photographier avec Sandra au bord de la Méditerranée tout en passant des nuits torrides avec Anastacia et ses... cousines, quel bonheur ! Serrer la main des invités à l'entrée du CCMMH et préparer au même moment son apparition sur la scène.

— Nous sommes arrivés..., dit dans son oreillette une voix familière.

Francis Esterhazy bondit de son trône, donne une bourrade d'encouragement à son conseiller culturel exsangue et se précipite vers l'ascenseur pour rejoindre le second sous-sol.

SHOWDOWN

Ça ressemble à un bloc opératoire. Sous deux énormes scialytiques, devant un demi-cercle de consoles et de moniteurs, un homme en blouse blanche grand, maigre, crâne rasé, une oreille plus petite que l'autre, tape sur un clavier. Près de la table, un autre homme en blouse blanche examine le contenu d'un grand plateau portant une douzaine d'écrins et un champ bleu stérile couvert d'instruments chirurgicaux.

« Esterhazy », René et deux gorilles sortent de l'ascenseur. Le maire effleure du dos de sa main celle de René. La voix de Paula murmure dans sa tête.

Débattez-vous, mais laissez-les faire...

« Esterhazy » fait un signe à ses sbires, qui saisissent René sans ménagement, lui ôtent son blouson de force et le ligotent sur la table articulée, tandis que « le maire » éclate d'un rire démoniaque !

— HAHAHAHAHAHA ! Quand je pense que vous m'avez cru, Twain !

— Salopard ! crie René. Je savais que c'était un piège !

— Occupez-vous de lui ! dit « Esterhazy » aux deux hommes en blouse blanche. Vos machines sont prêtes, Sark ?

— Oui, monsieur répond l'homme au crâne rasé.

— Et vous, Mangel, vous avez ce qu'il vous faut ?

— Oui, monsieur, dit Mangel d'un air intrigué.

— Qu'y a-t-il ? Pourquoi me regardez-vous comme ça ?

— Pour rien, monsieur, je trouve que vous avez changé... Vous ne vous exprimez pas tout à fait comme d'habitude...

272

— Je me disais aussi qu'il cause beaucoup trop bien pour s'faire passer pour moi ! lance la voix d'un *autre* Esterhazy.

Brrr... En stéréo, il est encore plus glaçant !

René se retient de rire. D'ailleurs, il n'y a pas de quoi : *deux* Esterhazy se tiennent à présent de chaque côté de la table. S'il ne savait pas que l'un d'eux...

Lequel est Paula, d'ailleurs ? Ils ont exactement le même smoking !

— Ça s'est bien passé, mon pote ? demande celui de droite.

Bon, comme ça, on sait...

— Oui, monsieur le mairrre, répond celui de gauche.

— T'es un p'tit malin, toi ! remarque l'Esterhazy de droite. Fais gaffe de pas trop m'énerver, je serais obligé de te confier aux bons soins d'Anastacia... Et elle pourrait te prendre pour quelqu'un d'autre !

Les deux Esterhazy éclatent du même rire symétrique.

God almighty !

— Bon, allez, mon gars, reprend l'Esterhazy de droite. Faut aller te percher sur le trône, là-haut.

— Ah bon ? répond l'Esterhazy de gauche. Je pensais que je devais rester ici pour surveiller... l'opération ?

— Nan. J'préfère faire ça moi-même ! répond l'Esterhazy de droite en se penchant vers René. J'ai très envie de voir le docteur Mangel placer tous ces capteurs dans la chair tendre de Misssss-ter Twain. Toi, tu vas aller présider le gala.

Quoi ! C'était pas prévu, ça !

— Mais..., commence l'Esterhazy de gauche, pris à contre-pied.

— Mais quoi ?

— Mais je ne me suis pas préparé !

— T'as pas besoin de te préparer, andouille, t'as qu'à être moi comme tu le fais si bien depuis trois mois ! Allez ! dit-il en faisant signe à ses sbires de l'emmener vers l'ascenseur. Au turf !

— C'est pas moi que vous mettez sur ce trône, monsieur le maire, c'est votre *image*..., susurre l'autre Esterhazy.

Il toise les gorilles d'un regard si convaincant que les deux malabars s'arrêtent, brusquement incertains.

— Vous voulez vraiment m'envoyer là-haut sans que je sache ce que vous voulez *montrer* ?

Esterhazy regarde son double d'un œil perplexe, puis éclate de rire et lui donne une bourrade.

— T'as raison ! Faut quand même que je te fasse une démonstration.

Il regarde sa montre.

— On a juste le temps ! Viens !

Les deux Esterhazy trottinent bras dessus, bras dessous vers l'ascenseur.

René voit avec effroi le docteur Mangel soulever un scalpel et s'approcher de lui avec un sourire sadique mais, au moment où la porte se referme sur eux, l'un des deux Esterhazy lance aux gorilles :

— Que personne ne touche au petit Twain jusqu'à mon retour !

Obéissant, l'un des deux malabars montre les dents au docteur Mangel qui, l'air dégoûté, jette son scalpel sur le plateau.

Whew !

Arc-bouté jusqu'ici sur la table où on l'a ligoté, René/e se détend.

Pendant les minutes qui suivent, *ille* observe les deux hommes en blouse penchés sur leurs écrans, pour tromper l'attente du retour d'Esterhazy. Le bon. Enfin, le faux.

— Bonsoir, messieurs. Je vois que vous êtes prêts...

Une femme en robe de soirée a surgi de nulle part. Elle est rousse, et bien que son allure soit celle d'une quadragénaire, son visage et ses mains ne portent aucune ride, aucune tache. Elle tient dans ses bras un immonde chat persan.

— Alors, vous êtes le fameux René Twain, dit-elle d'une voix glaciale. Vous ressemblez vraiment beaucoup à votre sœur, mon cher !

— Elle est nettement plus jolie que moi, ma chère... *Bunny.*

Lécheur !

Le visage de Bénédicte Beyssan-Barthelme ne réagit pas à la provocation. Le chat persan se lèche les babines.

— Seuls mes pires ennemis m'appellent ainsi, monsieur Twain.

— ... et vos amants, si je ne m'abuse...

Et pan !

Cette fois-ci, la présidente de WOPharma reste sans voix.

Elle tend son persan aux deux gorilles et leur fait signe de quitter la pièce. Puis elle défait un à un les boutons de la chemise de René.

— Pas mal, concède-t-elle après avoir examiné d'un œil expert le beau torse viril. Dommage que notre ami Mangel soit obligé d'abîmer tout ça. Allons, dit-elle en faisant signe au cancérologue, c'est l'heure. Inutile de faire attendre notre public. Bonne soirée, monsieur Twain !

Mangel se remet à sourire.

René ?

— Mmmh ?...

Qu'est-ce qu'elle fout, Paula ?

LES FURIES

— Ils ont tué Lance !

Le cri se répand comme une traînée de poudre dans tout l'hôpital, hurlé par chaque infirmière, chaque aide-soignante, chaque patient, chaque enfant, chaque parent, chaque ami venu accompagner et attendant patiemment aux urgences qu'on s'occupe de leur parent, de leur enfant, de leur ami. *Ils ont tué le professeur Lance.* Qui ? *Les flics d'Esterhazy !* Pourquoi ? *Ils voulaient fermer l'hôpital et Lance nous défendait !* Où sont-ils allés, ces salauds ? *Ils se sont enfuis !* Par où ? *Par les sous-sols !* Bientôt, le cri sort de l'hôpital et se répand sur le Carré de l'Hospice, ou les laissés-pour-compte et toute la population des quartiers nord se sont réunis ce soir, pas seulement pour marquer leur refus de la célébration du maire, mais aussi et surtout pour fêter les soignants qui, rassemblés autour de Lance, sont toujours là pour eux, qu'il pleuve, qu'il vente ou qu'il neige. Le cri se répand : *les flics ont tué le professeur.* Et, telles les vagues de fond déclenchées par un séisme sous-marin, la surprise fait place à l'incrédulité ; l'incrédulité à la consternation ; la consternation à la colère.

Et la colère fait hurler ; elle fait brandir les poings ; elle fait prendre les armes.

Dans le sous-sol de l'Hospice, Sturm et Drang courent à perdre haleine. Sturm se retourne de temps à autre pour tirer

276

dans la direction de Liliane et de Véronique, lancées à leurs trousses comme des Valkyries déchaînées.

— Avance, connard ! Avance ! crie Sturm au lourd géant qui court en boitant devant lui et l'empêche de passer chaque fois qu'ils atteignent une des lourdes portes pare-feu. Car les portes n'ont jamais été mises aux normes. Et, pour le malheur des deux flics assassins, elles s'ouvrent dans le mauvais sens.

— Mais combien y en a, de ces foutues portes ??? Avance, je te dis ! crie Sturm en tirant une nouvelle fois en direction des deux femmes. C'est son dernier coup. Il n'a pas d'autre chargeur. Il pousse Drang devant lui en espérant que les deux tigresses ne vont pas les abattre purement et simplement.

— C'est la dernière porte ! crie Drang en se jetant sur le lourd battant. Il le tire vers lui et les deux hommes s'élancent vers l'escalier qui mène à l'air libre. Mais leur élan s'arrête net. Une vingtaine de femmes silencieuses se tiennent sur les marches et les regardent intensément. Elles ont des bâtons, des chaînes de vélo et des barres de fer à la main.

Les deux hommes restent interdits face aux furies. Derrière eux, Véronique et Liliane tirent la dernière porte et surgissent, arme au poing.

— Les mains en l'air ! Mains sur la nuque. À genoux !

— Ça va, ça va, les filles. On a compris. On se rend, dit Sturm d'un ton méprisant. Il tire sur la manche de Drang.

— Fais ce que dit la dame...

Les deux hommes s'agenouillent avec un sourire ironique, tandis que Storch et Roche les menottent sous les yeux des femmes postées en haut des marches.

— Maintenant, dit Sturm en ricanant, elles ne peuvent plus nous descendre, il y a des témoins...

— Ta gueule, salopard ! crie Roche en pointant son arme sur le front de Sturm. Tu as tué un saint ! Je sais pas ce qui me retient...

— Qu'est-ce qui vous retient, capitaine ? lance l'une des femmes. Faites-lui sauter la cervelle. On ne dira rien à personne !

— Elle peut pas, ironise Sturm. Elle est assermentée, cette connasse ! Et honnête, en plus ! Elle bosse pour la *justice*.

— Pour quelle justice ? lance une deuxième femme. Celle qui remet en liberté les salauds qui nous frappent et nous violent ?

— *Ils ont tué le professeur !*

— Ils ont tué Sammy, et le petit Luc, et la vieille Réjane !

— Qu'est-ce que vous racontez ? crie Sturm, soudain pris d'angoisse. Vous dites des conneries !

— C'étaient des poivrots ! grogne Drang dans sa semi-torpeur. Des parasites ! Ils ne manqueront à personne ! On a assaini la rue en les virant d'ici !

— Ils ne les ont pas virés, crie l'une des femmes, vêtue d'une blouse blanche. Ils leur ont crevé le ventre pour leur voler leurs organes ! Ces deux salauds ne sont pas seulement des assassins, ce sont des charognards ! Faut pas qu'ils s'en tirent comme ça !

Le groupe de furies s'avance, menaçant.

— Reculez ! crie Roche, l'arme levée, les yeux pleins de larmes. Laissez-nous faire notre travail !

— Vous n'allez pas tirer sur nous, capitaine, dit calmement une voix. Je vous connais, vous êtes une femme bien.

Une marée de silhouettes descend l'escalier et entoure à présent le quatuor de policiers. Brusquement, plusieurs bras ceinturent Liliane et Véronique, les désarment, les poussent sans violence, mais fermement, de l'autre côté de la porte pare-feu et la verrouillent.

Hors d'haleine, épuisées et en larmes, Liliane et Véronique restent là, interdites, tandis que de l'autre côté, s'élèvent des hurlements vengeurs.

LE TRIOMPHE

— Tu vas voir, t'as rien à faire ! dit Esterhazy en s'avançant d'un pas décidé vers le trône doré.

— Je n'en doute pas une seconde, répond son double. Comment ça marche ?

— Toute la plate-forme monte vers la scène, explique le maire en désignant le plafond.

Il gravit l'estrade pour s'asseoir avec délice sur un siège outrageusement décoré d'un F et d'un E entrelacés.

— Toi, tu t'installes ici.

— Et je me tiens comment ? demande le double en regardant autour de lui.

— Comme ça..., dit Esterhazy en prenant une pose royale.

— Vous permettez que j'immortalise le moment ? demande le double en sortant de sa poche un petit appareil photo.

Esterhazy sourit de toutes ses dents. L'appareil lui décharge un puissant éclair de lumière bleu-vert en plein visage. Quand le double repose son appareil, Esterhazy reste figé dans son sourire.

Le faux maire secoue la tête et soupire. Au-dessus de l'estrade, le panneau commence à s'ouvrir.

— Je vous quitte, mon cher Francis, dit le double en anglais. Grâce à mon petit gadget *(Thanks to my little gizmo here)*, vous en avez pour une petite demi-heure de paralysie tonique. Bon, pour le moment vous êtes dans le brouillard, mais la bonne nouvelle, c'est que d'ici une demi-minute, ça ne vous empêchera plus de respirer, d'entendre ou de voir et donc

279

d'assister à votre propre triomphe auto-organisé... La mauvaise nouvelle c'est que, pendant le spectacle, je m'en vais libérer mon ami René. Et détourner un tout petit peu vos projets et ceux du petit lapin mangeur d'homme. *Hasta la vista, baby.*

Et il bondit au bas de la plate-forme qui emporte Esterhazy vers son triomphe.

Au moment précis où le double pénètre dans la salle des commandes du deuxième sous-sol, la lame de scalpel de Mangel effleure le beau thorax nu de René.

— Ah ! Qu'est-ce que je t'avais dit, toubib ? *De pas le toucher avant mon retour !*

René/e lui lancent un regard mi-éperdu, mi-furibond.

— Désolé, mes amis, murmure « Esterhazy », j'ai été un peu retardé. Voulez-vous fermer les yeux, s'il vous plaît ?

René/e s'exécute. Deux flashs vert-bleu plus tard, les deux hommes en blouse blanche sont prêts pour le musée Grévin.

— Vous pouvez rouvrir les yeux, dit le double en libérant René de ses entraves.

— Qu'est-ce que vous leur avez fait ? demande celui-ci en désignant les deux hommes figés dans des postures absurdes : Mangel plié en avant et le regard fixé à l'horizontale ; Sark assis sur sa chaise face à son écran, la tête tournée à cent quatre-vingts degrés dans leur direction.

— Je leur ai préparé un torticolis carabiné... Avec *ça*, dit le faux Esterhazy en montrant son petit appareil. C'est un *neuro-tazer*. Billy, un de mes amis, bricoleur à ses heures, me l'a fabriqué pour mon anniversaire. Son rayonnement sature les cônes et les bâtonnets de la rétine, ce qui provoque un neuro-spasme pancortical.

René regarde le double du maire d'un œil vide.

— En français ?

— Ça paralyse trente minutes et ça colle une migraine pas possible.

— Sympa !

— Oui, je trouve aussi... Saul et moi nous avons toujours été non violents. Mais dans certaines circonstances il faut pouvoir mettre les agressifs hors d'état de nuire. Ça évite d'avoir à... à...

Le visage du double se crispe de douleur. Il titube, s'appuie sur la table, reprend son souffle.

— Que se passe-t-il ?

« Esterhazy » regarde René droit dans les yeux.

— Vous le savez. N'est-ce pas ?

— Oui, répond René.

Qu'est-ce qui lui arrive ?

— Alors ne traînons pas. Regardez les écrans : le gala va commencer... Allongez-vous sur la table.

— Quoi ?

— Faites ce que je vous dis...

René s'exécute. « Esterhazy » sort de sa poche une demi-douzaine de fils terminés par des électrodes plates recouvertes d'adhésif. Il les colle sur le thorax de René, les relie à un boîtier qu'il branche sur la prise USB de l'ordinateur principal.

— Vous avez tout prévu...

— Oui. On préparait ça depuis des mois. En sachant qu'il passerait à l'action dès que vous seriez de retour à Tourmens.

— Que voulez-vous dire ?

— Que vous n'êtes pas une personne « douée » comme toutes les autres, *Miss and Mr Twain*. Vous êtes quelqu'un d'exceptionnel. Plus encore que vous ne le croyez. Et Esterhazy s'en doute, même s'il ne sait pas exactement en quoi.

De nouveau, le visage du double se crispe. René voit son visage se modifier et laisser poindre les traits douloureux de Paula.

Qu'est-ce qui arrive à Paula, René ?

— Je ne comprends pas bien, mais je crois qu'elle est en train de mourir...

Sur l'écran principal, la caméra fait un gros plan d'Esterhazy trônant devant sa cour.

L'EMBRASEMENT

Dans le grand auditorium du Centre culturel multimédiatique Michel-Houellebecq, le gala bat son plein. Paralysé sur son trône, le maire Francis Esterhazy, surpris d'être arrivé là mais étourdi et bouffi de vanité, jouit du spectacle des comédiens, des chanteurs, des musiciens qui sont venus lui rendre hommage et saluer sa toute-puissance municipale. Il jouit en pensant que, deux sous-sols plus bas, Mangel et Sark pratiquent les derniers prélèvements sur René Twain. Il jouit en pensant que, d'ici quelques mois, après avoir mis les précieuses cellules en culture, l'équipe recrutée par Mangel pourra commencer à lui greffer des organes pratiquement indestructibles. Et qu'un traitement ultérieur par la ProDG de WOPharma lui permettra de donner naissance à des enfants aussi indestructibles que lui.

Il jouit si intensément qu'il en oublie Sandra, Anastacia, Clara et toutes les femmes qui lui sont passées entre les mains au cours des dix dernières années. Il est si plein de sa propre jouissance qu'il ferme les yeux et se met à trembler convulsivement tandis que, devant lui, sous lui, le spectacle se poursuit.

Il jouit en pensant aux écrans géants et aux haut-parleurs extérieurs gracieusement installés par la municipalité pour faire profiter la population de l'exceptionnel spectacle. Car il ignore que la population a boudé son gala de potentat.

Il ignore tout autant que sur l'esplanade de béton déserte, une demi-douzaine de Compagnies républicaines de sécurité du Centre-Ouest se mettent à présent en place pour faire face à la foule hurlante qui converge de l'Hospice avec la ferme intention de mettre le centre à sac.

Les CRS ont des boucliers, des matraques, des grenades lacrymogènes, des canons à eau, des fusils à balles en caoutchouc. Ils sont prêts. Et ils tremblent, car rien de tel n'était prévu, et rien de tel n'était censé se produire. Et la foule qu'on leur annonce leur est dix fois supérieure en nombre.

Les CRS sont prêts, et ils savent que ça va saigner. Et ils croisent les doigts, ou prient le ciel ou l'enfer pour qu'on leur envoie des renforts. Très vite.

Ils rongent leur frein tandis que le gala bat son plein derrière eux sur les écrans géants et que la musique résonne dans les enceintes géantes installées par la mairie. Mais bientôt, l'orchestre, les chants et les discours ineptes du gala d'inauguration sont couverts par la rumeur montante, le grondement sismique, le tsunami humain qui marche à leur rencontre.

Ils sont des milliers, des hommes et des femmes armés de bâtons, de pelles et de pioches, de fusils de chasse et de barres de fer, de chaînes de vélo et de pavés, et ils marchent sur le Centre culturel multimédiatique. Ils portent des cocktails Molotov et des lampes à pétrole, des bidons d'essence et des bouteilles d'alcool qu'ils veulent déverser sur le centre culturel. Quand ils aperçoivent les casques et les boucliers luisants des forces de l'ordre, ils ne ralentissent pas leur pas. Au contraire, ils marchent plus vite. Et ils crient.

Esterhazy, salaud ! Le peuple aura ta peau !

Ils marchent et ils crient et ils se préparent à en découdre.

L'affrontement est inévitable...

... Mais au premier sous-sol du bâtiment somptueux commandé par, et réalisé pour Francis Esterhazy, entre les loges des artistes et la machinerie du théâtre, sous la scène et juste au-dessus de la salle des commandes secrètes où René et Paula recueillent les secrets de WOPharma, vous n'avez certainement pas oublié que, dans une petite pièce qui servait de débarras, il y avait une armoire électrique.

Dans cette armoire électrique, un fil rouge a été mal vissé le jour où un électricien s'est coupé le doigt et a laissé son travail en plan. Au fil des jours, les vibrations provoquées en ouvrant et en refermant brutalement la porte ont peu à peu libéré le fil du domino dans lequel il était glissé.

Pendant l'après-midi qui a précédé l'inauguration, chaque fois que Francis Esterhazy a fait signe aux machinistes de faire monter sur la scène l'estrade sur laquelle il trônait, les tremblements intenses du monte-charge (un modèle ancien et bon marché installé par l'ASESE devant les restrictions rendues indispensables par les dépassements budgétaires incessants) ont achevé de libérer le petit fil rouge ; et le petit fil rouge s'est mis à osciller. Lorsque le monte-charge s'est mis en branle pour l'ascension finale d'un Francis Esterhazy paralysé mais extatique, le petit fil rouge est entré en contact avec un petit fil bleu, dénudé par le même coup de tournevis qui entama naguère le doigt de l'électricien. Et la rencontre de ces deux petits fils a fait des étincelles.

Dans la petite pièce qui servait de débarras, où il faisait très chaud en raison de l'été torride et des matériaux d'isolation qui s'y entassaient, les étincelles ont enflammé les vapeurs d'un dérivé du pétrole échappé d'une bouteille en plastique fendue. Les flammes ont embrasé un morceau de tissu coincé par inadvertance sous le couvercle d'un pot encore aux trois quarts plein de peinture diluée de térébenthine. Le capharnaüm de matériaux divers et variés – les planches, les cartons vides, les copeaux de bois, les emballages en papier et en plastique – a fourni le combustible nécessaire. Comme la petite pièce était fermée, les vapeurs volatiles libérées par la combustion lente y ont fait peu à peu monter la pression comme dans une Cocotte-Minute.

De sorte qu'au moment même où la foule déchaînée s'apprête à jeter ses pavés et ses cocktails Molotov aux forces de l'ordre, une puissante explosion souffle les deux sous-sols, la scène et la grande salle de spectacle du Centre culturel multi-médiatique Michel-Houellebecq, qui s'embrase comme une comète.

À SUIVRE...

— *Noooooooooooooooon !!!!*

— Eh, si...

Scénario
Raphaël Marker

— C'est pas vrai ! Ça se finit pas comme ça ! Y a un autre épisode après !
— Ah, je ne crois pas, c'était le douzième et dernier... Et il était deux fois plus long que les autres ! Tu as remarqué, mon chéri ?
— Oui, ma chérie. Désolé, my friend, va falloir attendre la troisième saison.

Réalisation
Michel Deville (épisodes 1 à 6)
Maurice Frydland (épisodes 7 à 12)

— C'est quand, la troisième saison ?
— L'an prochain...

Productrice déléguée
Mélanie Zaffran (Winckler, Ink.)

— Il va falloir attendre un an pour savoir la suite ???? Je vais crever, moi !
— Attends, je regarde... Non ! C'est dans trois mois.

Producteurs associés

Rosalinde Deville (Éléfilm)
Sébastien Guillot (Calmann-Lévy Prod.)

— Trois mois ! C'est pas possible, ça, je vais pas tenir trois mois ! Comment vous faites, vous, quand une saison se termine comme ça...
— Par un cliffhanger ?...
— Oui. Comment vous faites ?

Montage

Brice Ferré

Son

Jean-Baptiste Joubaud

— On regarde autre chose...

Maquillage et costumes

Sophie Béranger, Michèle Gahagnon, Pauline King

— Mais c'est pas possible ! Vous pouvez pas ! Pas après un truc pareil. Ça va me hanter pendant des semaines !

Conseillers médicaux

Docteur Alain Gahagnon, Docteur Gregory House,
Docteur Éric Palisson

— Vous l'avez enregistré, au moins ?
— Oui, notre décodeur a un disque dur... Tu veux qu'on te grave toute la saison ?

Chorégraphie

Claude Pujade-Renaud, Sandrine Thérie

Cascades conçues et réalisées par

Martin Mystère, Olivier Oz, Léo Tugal (« The Brat Pack »)

Maître d'armes

Paul « Ragnarok » Xize, Leonard Hofstadter,
Sheldon Cooper (« The Geek Brick »)

Effets spéciaux numériques

Chuck Bartowsky & Thomas Zaffran
(« The Nerd Herd »)

*— Oui ! Et je garde les DVD de la première saison, hein, faut que
je revoie tout avant que la troisième commence !*
— No problemo...

Direction artistique

Mady Mainette, Christophe Deshoulières, Olivier Simon

Improvisations piano

Cathy Rand, Pascal Guénet

Communication

Oulrika Florès, Danièle Perrier, Benoît Barsacq

Documentation

Fanny Malovry, Michèle Gahagnon

Artificier

Ariane Koenig

Restauration-Catering

Pascale Koenig, Pierre Joubaud

Casting

Schmitlin & Co., International

— Bon, ben va falloir que je rentre chez moi... Vous avez vu l'heure ?
— Attends, attends. Il y a toujours quelque chose après la fin du générique.

Maquettes : Maryvonne et Henri Franquin
Paysagiste : Gaëtan Collineau
Conseil juridique : Cabinet Béranger, SA
Conseiller historique : Docteur Raoul Mainette
Conseiller aéronautique : René Cetelle
Ressources humaines : Virginie Collineau, Pierre Chasseguet

— Vous êtes sûrs qu'il y aura quelque chose après ?
— Mais attends donc !!!

Soigneur de Méphisto : Joel Doussain (Aucun animal
n'a été maltraité pendant le tournage de cette série)
Véhicules : la Jaguar de Bunny et la Mini de René/e ont été
gracieusement prêtées par Michel Moreau's Vintage Cars

Chansons écrites et interprétées par :

Pierre Barouh, Tony Bennett,
Bettie Comden & Adolf Green, Blossom Dearie,
Bill Evans, Ella Fitzgerald & Louis Armstrong,
George & Ira Gershwin, Stacy Kent, Alicia Keyes,
Richard Rodgers & Oscar Hammerstein, Tierney Sutton,
Boris Vian, Rufus Wainwright

Les producteurs tiennent à remercier chaleureusement :

Diane Arnaud, Rita Charon, Valérie Deshoulières,
Carol Donley, Andrée Duplantie, Hélène Oswald,
Claude Pujade-Renaud et Daniel Zimmermann, René Balcer,
Steve Bergman, Émile Bravo, Jean-Saul Hirsch, Martin Kohn,
Édouard Korenfeld, Yves Lanson, Opher Liba,
Saul Otchakovsky-Laurens, Matthew Weiner,
Daniel Weinstock pour leur soutien

La municipalité et le syndicat d'initiative
de la ville de Tourmens (Centre-Ouest)
pour leur hospitalité et leur soutien logistique

Sans oublier Michel Houellebecq et Victor-Hubert Slezak
pour leur sympathique participation

Une production WINCKLER, Ink.
Distribuée par Calmann-Lévy
© Raphaël MARKER, 2008

— *Ah, voilà...*

... Dans la troisième et ultime saison de La Trilogie Twain...
« IL N'Y A PAS DE COÏNCIDENCES,
IL N'Y A QUE DES ÉNIGMES... »

UN PIÈGE INFERNAL !
— L'ascenseur est bloqué !
— Y a pas d'autre sortie ?
DES VIES EN SUSPENS !
— La balle a perforé l'aorte... Et on a trois cents blessés qui arrivent !
— Est-ce qu'il va s'en tirer ?
UN ENNEMI INDESTRUCTIBLE !
— Je ne veux pas avoir l'air pessimiste, mais...
— Il aurait échappé à l'explosion ?
UN TERRIBLE SECRET !
— Vous savez tout, à présent...
— Qui d'autre est au courant ?
UN COMPLOT PLANÉTAIRE !
— Regardez l'image satellite !
— Qu'est-ce que ça veut dire ?

... MAIS TOUTES LES ÉNIGMES ONT LEUR SOLUTION !
dans DEUX POUR TOUS – Juin 2009 !

— *Damn ! Je sais pas comment je vais tenir jusque-là...
Qu'est-ce que vous allez regarder, vous deux, en attendant ?*

TABLE

Cet ouvrage a été imprimé en France par

C P I
Bussière

à Saint-Amand-Montrond (Cher)
en février 2009
pour le compte des éditions Calmann-Lévy
31, rue de Fleurus 75006 Paris

Photocomposition Facompo

N° d'éditeur : 14628/01
N° d'imprimeur : 090579/1.
Dépôt légal : mars 2009.